S0-BCM-926

HELMUT FELD
DER HEBRÄERBRIEF

ERTRÄGE DER FORSCHUNG

Band 228

HELMUT FELD

DER HEBRÄERBRIEF

1985

WISSENSCHAFTLICHE BUCHGESELLSCHAFT

DARMSTADT

BS
2775.2
.F44
1985

CIP-Kurztitelaufnahme der Deutschen Bibliothek

Feld, Helmut:
Der Hebräerbrief / Helmut Feld. – Darmstadt:
Wissenschaftliche Buchgesellschaft,
1985.
   (Erträge der Forschung; Bd. 228)
   ISBN 3-534-07503-X
NE: GT

1 2 3 4 5

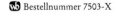 Bestellnummer 7503-X

© 1985 by Wissenschaftliche Buchgesellschaft, Darmstadt
Satz: Maschinensetzerei Janß, Pfungstadt
Druck und Einband: Wissenschaftliche Buchgesellschaft, Darmstadt
Printed in Germany
Schrift: Linotype Garamond, 10/11

ISSN 0174-0695
ISBN 3-534-07503-X

INHALT

VORWORT

Im Jahre 1939 erschien ERNST KÄSEMANNS Buch ›Das wandernde Gottesvolk‹, in dem der Hebräerbrief von den Erlösungslehren der gnostischen Mythologie her verstanden und gedeutet wurde. Der große Forschungsbericht von ERICH GRÄSSER: ›Der Hebräerbrief 1938–1963‹ (ThR N.F. 30, 1964, 138–236) umfaßt einen Zeitraum, in dem die Gedanken KÄSEMANNS einen beträchtlichen Einfluß ausübten, wenigstens in der deutschsprachigen Forschung. Wir möchten hier vor allem die Ergebnisse der letzten zwanzig Jahre darstellen. Doch sollen auch die wichtigen älteren Arbeiten, in denen bis heute nicht überholte Beiträge zur Interpretation des Hebräerbriefes erbracht wurden, gebührend berücksichtigt werden.

Eine immer noch unentbehrliche Zusammenfassung und ausführliche Bibliographie der Literatur von 1900 bis 1960 gibt der Artikel von CESLAS SPICQ: ›Paul. 5. Hébreux (Épître aux)‹ im Dictionnaire de la Bible, Suppl. VII, 226–279. Sehr hilfreich als Einführung in den Stand der Hebräerbrief-Forschung, wie er sich in den Jahren nach der Entdeckung der Schriften vom Toten Meer darstellte, ist der Aufsatz von GEORGE WESLEY BUCHANAN: ›The Present State of Scholarship on Hebrews‹, in: J. NEUSNER (Hrsg.), Christianity, Judaism and Other Greco-Roman Cults. Studies for Morton Smith at Sixty, I, Leiden 1975, 299–330.

Die von uns besprochenen Werke werden mit vollständigem Titel nur im Literaturverzeichnis angeführt. Innerhalb des Textes werden sie mit Verfassernamen und Kurztitel (Stichwort) zitiert. Handelt es sich um einen Hebräerbrief-Kommentar, so wird nur der Name des Verfassers mit der Seitenangabe genannt.

Ich habe mich bemüht, erstmals eine Liste der Kommentare über den Hebräerbrief seit der Alten Kirche zu erstellen, soweit sie vollständig erhalten und heute noch erreichbar sind. Unberücksichtigt blieben also die nur fragmentarisch erhaltenen und die verschollenen Kommentare. Bei den übrigen Literaturangaben wurde Vollständigkeit insofern angestrebt, als ich mich bemüht habe, alle neueren Arbeiten zu erfassen, die einen wesentlichen Beitrag zur Interpretation des Hebräerbriefes geleistet haben. Wenn im Text selbst einzelne Arbeiten nicht ausführlich behandelt oder gar nicht genannt sind, so bedeutet das kein Werturteil, sondern ist in der notwendigen Begrenzung des Umfanges begründet, die ein solcher Bericht sich nun einmal auferlegen muß. Im übrigen wollte ich ein Ausfransen der Darstellung vermeiden, damit sie Lernwillige nicht abschreckt und auch für solche Benutzer lesbar bleibt, die nicht Fachgelehrte auf dem Gebiet der neutestamentlichen Exegese sind.

Danken möchte ich an dieser Stelle Herrn Professor Dr. JOSEF BLANK, Saarbrücken, der vor einigen Jahren den Anstoß zu dieser Arbeit gegeben hatte. Eine in seinem Auftrag von Frau cand. phil. TRAUDEL KASTNER erstellte Bibliographie habe ich dankbar benutzt. Auf der Generalversammlung der Studiorum Novi Testamenti Societas 1982 in Löwen beschäftigte sich ein Seminar unter der Leitung von Professor MAURICE CARREZ, Montreuil, und Professor ALBERT VANHOYE, Rom, mit dem Thema «Sacrifice et mort du Christ dans l'Epître aux Hébreux», dem ich manche Anregung verdanke. Für gesprächsweise gegebene wertvolle Hinweise danke ich den Herren Professor Dr. OTTO BETZ und Prälat Professor D. Dr. KARL HERMANN SCHELKLE, Tübingen. Danken möchte ich auch den Mitarbeitern der Universitätsbibliothek Tübingen für ihre beständige Hilfsbereitschaft und Freundlichkeit, vor allem Frau INGRID BETHGE, Frau MONICA THEURER, Herrn HELLMUT REICHART und Herrn HANS-HELWIN REISSENBERGER.

Während der Drucklegung machte mich Herr Professor PIERRE FRAENKEL, Genf, auf vier Vorträge zur Auslegungsgeschichte des Hebräerbriefs aufmerksam, die 1982 im «Institut d'Histoire de la Réformation» in Genf gehalten und mittlerweile veröffentlicht wurden. Sie werden in einem Nachtrag zur Bibliographie (u. S. 141) angeführt.

Seit der ersten Ankündigung des Buches im Jahreskatalog der Wissenschaftlichen Buchgesellschaft ist eine ungebührlich lange Zeit verflossen, da ich infolge widriger Umstände die Beschäftigung mit dem Neuen Testament zeitweise unterbrechen mußte, zeitweise nur sehr eingeschränkt weiterführen konnte. Leitung und Mitarbeitern des Verlages gebührt deshalb für ihre nicht nachlassende Geduld ein besonderes Wort des Dankes.

Tübingen, 29. September 1984   H. Feld

A. LITERATURGESCHICHTLICHE FRAGEN

Die anonyme Schrift, die der neutestamentliche Kanon unter der Überschrift Πρὸς Ἐβραίους enthält, stellt die Exegeten seit den Zeiten der Alten Kirche vor kaum lösbare Rätsel. Die Tatsache, daß sich wohl keine der mit dem sogenannten Hebräerbrief verbundenen literaturgeschichtlichen Fragen mit eindeutiger Sicherheit beantworten läßt, hat auch die modernen Ausleger nicht davon abgehalten, über Autorschaft, Empfänger, Absicht, Datierung, Hintergrund und literarisches Genus Vermutungen zu äußern, historische Wahrscheinlichkeiten abzuwägen und Gründe für vielfältige Hypothesen zu sammeln.

Die Reihenfolge der im folgenden behandelten Themen variiert in den Kommentaren und Einleitungswerken jeweils entsprechend dem logischen Gang der Argumentation, den die einzelnen Autoren für sachgemäß halten. Für welche Folge man sich auch entscheidet: die Fragenkomplexe hängen sehr eng zusammen und dürfen auf keinen Fall voneinander isoliert betrachtet werden.

I. Autorschaft

Als Autor des Hebräerbriefes sind im Laufe der Zeiten folgende Persönlichkeiten der Alten Kirche genannt worden: Paulus, Barnabas (erstmals von Tertullian, De pudicitia 20; in neuerer Zeit noch von H. STRATHMANN 64f.; s. die Aufzählung bei SPICQ I, 199, Anm. 8), Petrus (von A. WELCH; s. MOFFATT, Introduction 439f.; SPICQ I, 204), Lukas, Clemens Romanus, Silvanus (E. G. SELWYN, First Epistle of Peter), Philippus, Priscilla, Apollos, Judas (von A. M. DUBARLE, Rev. Bibl. 48, 1939), Aristion (J. CHAPMAN, Rev. Bén. 1905; R. PERDELWITZ, ZNW 1910) und sogar Timotheus, obwohl ihn seine Nennung in Hebr 13,23 eigentlich ausschließt (SPICQ I, 204, Anm. 5 s. u.).

Die älteste und längste Tradition, zurückgehend auf die griechische Kirche, der sich nach langem Zögern auch die lateinische Kirche anschloß, sieht in dem Hebräerbrief ein Werk des Apostels Paulus. Die ältesten Handschriften des Neuen Testaments reihen ihn unter den Paulusbriefen ein, so der aus dem 3. Jahrhundert stammende Chester-Beatty-Papyrus (P[46]) nach dem Röm (es folgen 1 und 2 Kor, Gal), der Cod. Vaticanus und der Cod. Sinaiticus vor den Pastoralbriefen (HATCH, Position of Heb; MICHEL, 38, Anm. 1). Nach dem Bericht des Eusebius bemerkten jedoch bereits Clemens Alexandrinus und Origenes den sprachlichen und stilistischen Unterschied zu den übrigen Paulusbriefen. Clemens Alexandrinus vertrat deshalb die Ansicht, der von Paulus auf Hebräisch abgefaßte Brief sei von dessen Schüler Lukas ins Griechische übersetzt worden, da Ähnlichkeit zum Stil der Apostelgeschichte bestünde (Eusebius, Kirchengeschichte VI, 14, 2–4). Unter Berufung auf den μακάριος πρεσβύτερος gibt er auch den Grund für das Fehlen des Namens im Präskript an: der Heidenapostel habe sich aus Bescheidenheit (διὰ μητριότητα) nicht „Apostel der Hebräer" genannt, aus Ehrfurcht vor dem Herrn, dem diese Bezeichnung eigentlich zukomme, wohingegen er selbst Verkünder und Apostel für die Heiden sei.

Der hier zitierte „selige Presbyter" wurde seit TH. ZAHN (Forschungen III, 64 ff. 159 f.; Geschichte I, 284; Einleitung II, 112 ff.) mit dem von Eusebius vorher genannten Pantainos identifiziert. PH. VIELHAUER (Urchristliche Literatur 250, Anm. 33) meint, diese von vielen Autoren nachgeschriebene Annahme sei keineswegs wahrscheinlich.

Auch Origenes hat den im Vergleich zu den übrigen Paulusbriefen geschliffenen griechischen Stil des Hebräerbriefes bemerkt (ἐστὶν ἡ ἐπιστολὴ συνθέσει τῆς λέξεως Ἑλληνικωτέρα), möchte aber daran festhalten, daß der Brief die Gedanken des Apostels enthält, da er die Überlieferung der Alten nicht geringschätzen möchte. Wer allerdings der Schreiber sei, wisse in Wirklichkeit nur Gott (τὶς δὲ ὁ γράψας τὴν ἐπιστολήν, τὸ μὲν ἀληθὲς θεὸς οἶδεν). Genannt würden Clemens, Bischof von Rom, und Lukas (Eusebius, Kirchengeschichte VI, 25, 11–14).

Die Ansicht, daß der Hebräerbrief die griechische Übersetzung eines in hebräischer Sprache abgefaßten paulinischen Originals sei, wird von den mittelalterlichen Auslegern generell vertreten, nachdem der Brief auch in der lateinischen Kirche (seit dem Ende des 4. Jahrhunderts) als echtes Werk des Paulus Anerkennung gefunden hatte. (Noch Hieronymus zweifelt an der Autorschaft des Paulus, möchte aber den Hebr unter den kanonischen Schriften sehen; bezeichnend sein Standpunkt: „nihil interesse cuius sit, cum ecclesiastici viri sit": Ep. 129, 3, ad Dardanum, CSEL 56, 169, 10). Zu

Beginn des 16. Jahrhunderts verteidigen noch J. Faber Stapulensis
(1512. 1515) und Wendelin Steinbach (1516) die paulinische Autorschaft, während Erasmus von Rotterdam (1516) bereits schwerwie-
gende Zweifel anmeldet und eine Reihe von Gründen anführt, die
gegen Paulus als Verfasser sprechen.

Es sind die Gründe, die auch von den modernen Exegeten im
wesentlichen angeführt werden und die im Verlaufe der neuzeitlichen
Auslegungsgeschichte zu der heute fast einhellig vertretenen Überzeugung führten, daß Paulus nicht der Autor des Hebräerbriefes
sein kann. Im katholischen Raum vor allem hat sich diese Überzeugung erst in der zweiten Hälfte des 20. Jahrhunderts durchgesetzt,
vor allem wohl wegen der retardierenden Wirkung der Dekrete des
Konzils von Trient (Sessio IV vom 8. April 1546: DENZINGER-
SCHÖNMETZER 1503) und der Päpstlichen Bibelkommission (Re-
sponsio vom 24. Juni 1914: DENZINGER-SCHÖNMETZER 3591–93), in
welchen aus dogmatischen Gründen an der paulinischen Autorschaft festgehalten wird. Inzwischen wird dieser Standpunkt von
katholischen Exegeten kaum noch vertreten. In dem umfangreich-
sten und ausführlichsten modernen katholischen Hebr-Kommentar, dem von C. SPICQ (1952–53), ist er aufgegeben. Um die gleiche
Zeit distanziert sich O. KUSS vorsichtig von der „direkten Autorschaft" des Paulus: „Hält man an einem irgendwie gearteten Einfluß
des Apostels Paulus auf die Abfassung des Hebräerbriefes fest, so
wird man zum mindesten annehmen müssen, daß die paulinischen
Gedanken in dem Kopfe des sehr selbständigen Autors eine Entwicklung durchgemacht haben, bevor sie ihren literarischen Nie-
derschlag fanden" (17; so auch noch in der 2. Aufl. 1966, 20).
A. VANHOYE (Structure 222) erwägt die Möglichkeit, daß der Brief-
schluß (Hebr. 13, 22–25), den er wegen seines einfachen Briefstils
als «billet d'envoi» von der in feierlichem Stil abgefaßten eigentlichen Rede abtrennt, von Paulus selbst sein könnte. Eine besondere
Erwähnung ob ihrer scharfsinnigen Argumentation verdient die
Hypothese von JOHN D. LEGG (Ev. Q. 40, 1968, 220–223), nach
der Timotheus der Verfasser wäre, Paulus aber das 13. Kapitel ange-
fügt hätte.

Ein hebräisches Original des Hebr verteidigte noch J. BETZ
(Abendmahlskelch, 1952). Auch SPICQ möchte zumindest die Exi-
stenz eines solchen nicht ausgeschlossen wissen. In dem gegenwär-
tigen Text sieht er aber dennoch keine Übersetzung im eigentlichen
Sinn als vielmehr eine Neubearbeitung, auch unter Einfügung neuer
Passagen, wie z. B. 9, 16–17 (I, 370–378, bes. 377).

In jüngster Zeit tritt ein Kommentar des Hebr, allerdings weniger wissenschaftlichen als erbaulich-erweckenden Charakters, wiederum mit Nachdruck für Paulus als Verfasser ein (R. HESSION, Vom Schatten zur Wirklichkeit 10). D. GUTHRIE erörtert eingehend die fünf Hauptgründe gegen die Abfassung durch Paulus (Introduction 688–690), darunter die Unterschiede in der Theologie und die verschiedene geschichtliche Position, aus der beide Autoren sprechen: aus Hebr 2, 3 geht hervor, daß der Auctor ad Hebraeos seine Unterweisung im Christentum von denen erhalten hat, die den Herrn gehört hatten, während Paulus (Gal 1, 12) darauf insistiert, durch eine direkte Offenbarung zum Heil gelangt zu sein. Gerade diese beiden Gründe sprechen nach GUTHRIE lediglich für die Unwahrscheinlichkeit einer Abfassung durch Paulus, nicht aber für ihre Unmöglichkeit (ebd. 690). Auch J. PHILIPPS (Exploring Hebrews 33) hält nach wie vor eine paulinische Autorschaft für möglich.

In den meisten neueren Kommentaren zum Hebr und in den Einleitungen in das NT wird auf den Versuch, eine bestimmte Persönlichkeit als Verfasser des Hebr zu bestimmen, verzichtet. Es besteht aber weiterhin ein von der Sache und dem Inhalt des Buches her bestimmtes Interesse am Verfasser (E. GRÄSSER, Hebräerbrief 146, Anm. 1), mit anderen Worten: Es ist für die Interpretation des Hebr wichtig, in welcher Rolle der Verfasser spricht oder schreibt: ob als Theologe, Seelsorger, Gemeindeleiter. Dennoch hält sich bei manchen Kommentatoren eine Vorliebe für die Persönlichkeit des Apollos. C. SPICQ hat in seinem Kommentar alle denkbaren Gründe zusammengetragen, die für Apollos als Verfasser sprechen (I, 209–219). Neben ihm erörtert H. MONTEFIORE am ausführlichsten die Autorschaft des Alexandriners, die er auch favorisiert (9–11; s. u. A.II.2). Als Grundlage für die Argumentation zugunsten der Apollos-Hypothese dienen vor allem die wenigen Angaben, die das NT über diesen ohne jeden Zweifel bedeutenden Lehrer der Urkirche macht (Apg 18, 24–28; 1 Kor 1, 12; 16, 12). Wie MONTEFIORE treffend bemerkt, sprechen alle bislang vorgetragenen Argumente dafür, daß Apollos der Autor des Hebr gewesen sein *kann,* aber sie beweisen nicht zweifelsfrei, daß er es gewesen sein *muß* (11). Für Apollos treten ferner ein: P. KETTER (3 f.); TH. ZAHN, Einleitung³, 7 ff.; J. V. BARTLET, Epistle 58–61; T. W. MANSON, Problem; W. F. HOWARD, Interpretation 5 (1951), 82 ff.

Apollos als möglicher Autor des Hebr ist zum erstenmal von Martin Luther erwähnt worden, und zwar in seiner Kirchenpostille von 1522, nachdem er schon früher, in seiner Hebr-Vorlesung von 1517 (WA 57 III, 10, 20 ff. u. ö.) wohl im Gefolge des Erasmus, den Verdacht geäußert hatte, Paulus sei nicht der Verfasser. Luther schreibt über den Hebr in seiner Erklärung der „Epistell der hohen messen am Christag auß Heb. primo" (WA 10 I/1, 143): „Das ist eyn starcke, mechtige und hohe Epistell . . . unnd ist ein glewbwirdiger wahn, sie sey nit sanct Pauls, darumb das sie gar eyn geschmuckter Rede furt, denn S. Paulus an andernn ortten pflegt. Ettlich meynen sie sey S. Lucas. Ettlich S. Apollo, wilchen S. Lucas rumet, wie er ynn der schrifft mechtig sey geweßen widder die Juden, Act. 18." Luthers Worte erwecken den Eindruck, daß er die Apollos-Hypothese von anderen vernommen hat. Eine schriftliche Quelle ist bisher nicht gefunden worden. Es ist möglich, daß sich Luther „nur auf mündliche Urteile von gelehrten Freunden" bezieht (so schon F. BLEEK 1828 in seinem Kommentar: I, 249, Anm. 338; Luthers Stellungnahmen zur Autorfrage des Hebr sind ausführlich behandelt bei H. FELD, M. Luthers und W. Steinbachs Vorlesungen über den Hebr, 22–34).

Im Jahre 1900 hatte A. HARNACK in der ersten Nummer der ›Zeitschrift für die neutestamentliche Wissenschaft‹ mit großem Scharfsinn nachzuweisen versucht, daß Priscilla die Verfasserin des Hebr sei. Er glaubte, damit zugleich eine plausible Erklärung für das Fehlen eines Namens im Präskript gefunden zu haben: Der „Kampf gegen die lehrenden Frauen in der Kirche" erklärt das Verschwinden des Namens der Verfasserin. Im Zuge der sogenannten „feministischen Theologie" hat RUTH HOPPIN eine Wiederbelebung der Hypothese HARNACKS unternommen (Priscilla: 1969). Die Hauptstütze für ihre Argumentation findet sie dabei in der Nennung der Frauen in Hebr 11 (Sara, Tochter des Pharao, Rahab) und vor allem in dem Satz 11, 35: „Frauen erhielten ihre Toten durch Auferstehung wieder." Außerdem meint Frau HOPPIN, die für die Autorschaft des Apollos angeführten Gründe müßten viel eher für Priscilla gelten, die nach dem Zeugnis der Apostelgeschichte die Lehrerin des Apollos war (Apg 18, 26). Leider kann aber auch die Heranziehung archäologischen Materials, nämlich der Entdeckung der Grabstätte der Acilii Glabriones in der Priscilla-Katakombe zu Rom im Jahre 1887, nicht viel zur Erhärtung der Priscilla-Hypothese beitragen.

Angesichts der zu geringen Überzeugungskraft aller bisher vorgetragenen Verfasser-Hypothesen kann man, wie schon erwähnt, in der neueren Hebr-Literatur insgesamt den Verzicht auf die Nen-

nung einer bestimmten Persönlichkeit als Autor des Hebr konsta-
tieren. F. F. BRUCE beschreibt die Persönlichkeit des Autors als die
eines Christen der zweiten Generation, eines Kenners der LXX, die
er selbständig und originell zu interpretieren versteht. Er ist ein
Meister der Sprache, der in einem gehobenen rhetorischen Stil
schreibt und dem ein umfangreicher Wortschatz zur Verfügung
steht. Beides, Stil und Wortschatz, ist völlig anders als in den Briefen des Paulus. Die Beschreibung, die die Apostelgeschichte von
Apollos gibt, als einem gebildeten Mann, der bewandert in den heiligen Schriften war, ist für den Autor des Hebr durchaus zutreffend.
Er war ein Hellenist, der die Auffassungen der in Apg 6–8; 11, 19 ff.
beschriebenen Hellenisten übernommen hatte: der Gefährten eines
Stephanus und Philippus, der Pioniere in der Heidenmission
(XLII).

II. Empfänger und Bestimmungsort

Eine gleiche Zurückhaltung herrscht keineswegs, wenn es um die
Bestimmung der Adressaten des Hebräerbriefes geht. Richtet sich
das Schreiben an die gesamte Kirche oder an eine bestimmte Gemeinde? Sind die Empfänger Juden, die sich mit dem Christentum
auseinandersetzen, oder bereits bekehrte Juden, Judenchristen also,
oder Heidenchristen? Und wenn sie Judenchristen sind, handelt es
sich dann vielleicht um eine ganz bestimmte, durch ihre Herkunft
geprägte Gruppe, etwa ehemalige Priester oder ehemalige Essener?
Sitzen die Adressaten in Rom, in Jerusalem, in anderen Städten
Italiens oder Kleinasiens? Alle die genannten Meinungen wurden
bereits in der älteren Literatur vertreten und begründet, und auch
unter den neueren Exegeten konnte keine Einigkeit erzielt werden.
Die Frage, an wen der Hebr gerichtet ist, hängt im übrigen aufs engste mit der Frage nach dem geistigen Hintergrund zusammen (s. u.
A. VII).

1. Leserkreis

Eine Scheidung der Geister ergibt sich zunächst bei der Frage,
welche Bedeutung dem Titel Πρὸς Ἑβραίους zuzumessen ist.
Einmütigkeit besteht wohl darüber, daß der Titel nicht ursprünglich ist. Bezeugt ist er zum erstenmal an der schon erwähnten Stelle
bei Tertullian (De Pudicitia 20), im frühen 3. Jahrhundert. Vielleicht wurde der Titel hinzugefügt, als der Hebr mit anderen an ver-

schiedene Adressen gerichteten Sendschreiben verbunden wurde, wie schon TH. ZAHN (Einleitung II, 113 f.) vermutete. H. THYEN (Homilie 16) denkt an die Entstehung des Titels bei Gelegenheit der Einfügung in das Corpus der paulinischen Briefe. Wurde der Titel in der ersten Hälfte des 2. Jahrhunderts von Leuten beigefügt, die jede direkte Kenntnis von der Entstehung und der Absicht des Hebr verloren hatten und nur ihren Eindruck von dem „hebräischen" Inhalt des Schreibens wiedergaben (so MOFFAT, Introduction 448; Commentary, XV; ähnlich SCHIERSE, Verheißung 1), so muß er für die Bestimmung des möglichen Leserkreises gänzlich außer Betracht bleiben. So resümiert GRÄSSER in seinem Forschungsbericht in Anschluß an SCHIERSE: „Für die Adressatenfrage ist die Überschrift geschichtlich wertlos. Nur der Brief selber kann sie entscheiden" (Hebräerbrief 147).

Andererseits bleibt die Tatsache, daß der Titel Πρὸς Ἑβραίους in allen Handschriften des Originals und der Übersetzungen überliefert ist und auch die bis in das 2. Jahrhundert hinaufreichenden indirekten Überlieferungen über den Brief (Clemens, Origenes, Irenäus, Hippolyt, Tertullian) keinen anderen Titel kennen (ZAHN, Einleitung II, 113; SPICQ I, 221). Man sollte nicht zu leicht darüber hinweggehen, daß kein Anhaltspunkt dafür besteht, daß der Brief jemals eine andere Adresse trug. Zum mindesten bringt sie die allgemeine Überzeugung bezüglich der Bestimmung des Briefes zu einem sehr frühen Zeitpunkt zum Ausdruck (GUTHRIE, Introduction 699. 703; unter Berufung auf A. B. DAVIDSON 9).

Was bedeutet aber Ἑβραῖοι? Im christlichen Sprachgebrauch können damit gemeint sein: 1. die Juden und Judenchristen im Gegensatz zu den Heiden (ἔθνη): so 2 Kor 11, 22; Phil 3, 5; Eusebius, Kirchengeschichte III, 4, 2; 2. die hebräisch (oder auch aramäisch) sprechenden Juden und Judenchristen im Gegensatz zu den hellenisierten Juden (Ἑλληνισταί): so Apg 6, 1; vgl. 9, 29. Da der Hebr keine Übersetzung eines hebräischen Originals ist und der Verfasser ausschließlich mit dem Text der LXX (s. u. A. VII. 1.a) argumentiert, ist die zweite Möglichkeit auszuschließen. Es können also nur griechisch sprechende Juden oder Judenchristen gemeint sein (so SPICQ I, 221; für den Gebrauch von Ἑβραῖοι als Bezeichnung der Judenchristen s. M. BLACK, Scrolls 78; vgl. R. MURRAY, Jews, Hebrews, 199. 205).

Hin und wieder, sogar bis in neuere Zeit, wurde die Ansicht vertreten, der Brief sei an Juden gerichtet, die noch unentschlossen in bezug auf ihren Übertritt zum Christentum gewesen seien (HUNT,

Sources 291; SYNGE, Hebrews 44 ff. 51). Nach SYNGE soll πρός nicht „an", sondern „gegen" bedeuten. „Gegen die Juden": so liest auch noch KÖSTER (Einführung 710) den Titel.

Häufig ist der Titel des Hebr auch symbolisch gedeutet worden. Demnach wären ῾Εβραῖοι die heimatlos über diese Erde ziehenden Pilger, die die himmlische Heimat suchen. Diese Deutung findet einen gewissen Rückhalt in der LXX-Übersetzung von Gen 14, 13: ῎Αβραμ ὁ περάτης, und 1 Sam 13, 7: οἱ διαβαίνοντες διέβησαν. Auch Philo erklärt das Wort ῾Εβραῖοι in diesem Sinn (De migr. Abr. 20f.). Diese Interpretation, für die schon ältere Exegeten eintraten (SCHIELE und V. MONOD; s. H. WINDISCH 7), verteidigen von den neueren noch KÄSEMANN (Gottesvolk 156, Anm. 1) und SPICQ (I, 243 ff.; Apollos 365 ff.) SPICQ weist auf die Verwandtschaft des Wortes ᶜibrī mit dem Stamm ᶜābar (durchziehen, wandern) hin. Er hält es für möglich, daß hinter μέτοχοι Hebr 3, 1 das hebräische ḥabērīm im Sinne von: „die in einer religiösen Vereinigung, ḥaburāh, Zusammengeschlossenen" steckt (von der Wurzel ᶜārab = Metathesis von ᶜābar).

Bis ins 19. Jahrhundert hinein war die Auffassung, die Adressaten des Hebr seien Judenchristen, communis opinio. Im Jahre 1836 versuchte E. M. ROETH zum erstenmal zu beweisen, der Brief sei an Heidenchristen gerichtet. Andere vertraten darüber hinaus die Meinung, der Brief sei für eine aus Juden- und Heidenchristen gemischte, über den religiösen Gegensatz der urchristlichen Zeit längst hinausgewachsene Gemeinde bestimmt (so etwa MOFFAT XVI; SCHELKLE, NT 196 f.; KÜMMEL, Einleitung 352 f.). Ausschlaggebende Gründe dafür sah man einmal darin, daß sich aus dem Brief keine Anhaltspunkte für ein Weiterbestehen des Tempelkultes in Jerusalem zur Zeit der Abfassung ergäben. Ferner wurden Stellen wie 3, 12; 6, 1 f.; 9, 14 angeführt zugunsten der Hypothese, daß die Adressaten Heidenchristen gewesen seien. Der Abfall vom „lebendigen Gott", vor dem der Autor warnt, sei eher als Rückfall ins Heidentum denn als Rückwendung zum Judentum zu begreifen (LOHSE, Entstehung 124 f.; ZIMMERMANN, Bekenntnis 13 f.). Und wenn von „toten Werken" die Rede ist, so scheint dies auf die heidnische Vergangenheit der Leser anzuspielen. Nach MONTEFIORE (16) kann die Warnung vor sexuellen Beziehungen vor und außerhalb der Ehe (Hebr 13, 4; vgl. 12, 16) schwerlich an Judenchristen, viel eher aber an ehemalige Heiden gerichtet sein.

MARTIN DIBELIUS hat 1942 jeder Deutung widersprochen, die den Hebr für eine bestimmte Gemeinde und eine konkrete Situation geschrieben sieht. Eine solche Deutung schien ihm auch das theologische Verständnis des „Briefes" zu beeinträchtigen (Der himmlische Kultus nach dem Hebräerbrief, in: Botschaft und Geschichte II, 160). So geht es nach DIBELIUS in einer Ermahnung wie 10, 25: μὴ ἐγκαταλείποντες τὴν ἐπισυναγωγὴν ἑαυτῶν, dem Verfasser „nicht um irgendwelche Besonderheiten, sondern um typische Erscheinungen einer Christlichkeit, die ihre erste Begeisterung verloren hat ... Der Verfasser blickt also bei seiner Mahnung nicht auf *eine* Gemeinde, deren besonderes Schicksal ihm am Herzen läge; er blickt auf das, was alle oder die meisten Gemeinden regelmäßig erleben: er blickt auf die *Kirche*" (ebd. 161 f.). Dieser Auffassung von DIBELIUS folgen nicht wenige von den neueren Exegeten (so KÖSTER, Einführung 711; VIELHAUER, Geschichte 240 f.; MARXSEN, Einleitung 214 f.). Nach WIKENHAUSER-SCHMID (Einleitung 548) ist der Hebr geschrieben von einem Mann der zweiten oder dritten christlichen Generation „an Christen überhaupt".

Die in den letzten Jahren erschienenen englischsprachigen Kommentare dagegen lassen an die seinerzeitige Mahnung von EDUARD RIGGENBACH denken: „Die judenchristliche Adresse des Briefes ist nicht ein alter Irrtum, sondern eine neuerlich verkannte Wahrheit, zu der man durchaus zurückkehren muß, wenn man nicht auf ein geschichtliches Verständnis des Briefes verzichten will" (S. XXIII). F. F. BRUCE hat in seinem Kommentar die Frage der Adressaten ausführlich erörtert und kommt zu dem Schluß, daß es Judenchristen gewesen sein müssen. Dabei fällt weniger die Vertrautheit mit dem Alten Testament, speziell mit den Einzelheiten des mosaischen Heiligtums und Kultes, und die Tatsache seiner Anerkennung als heilige Schrift ins Gewicht: all dies traf auch für Heidenchristen zu (XXV). Viel entscheidender ist die Art und Weise, wie der Autor bei seiner Leserschaft die Anerkennung jüdischer Prämissen voraussetzt. BRUCE führt als Beispiel die Frage an, die er im Zusammenhang der Erklärung von Ps 110, 4 stellt, wo ein Priestertum nach der Ordnung Melchisedeks angekündigt wird: „Wenn also durch das levitische Priestertum Vollendung da war, ... was für eine Notwendigkeit gab es dann noch, daß ein anderer Priester nach der Ordnung Melchisedeks aufgestellt und nicht nach der Ordnung Aarons genannt wurde?" (Hebr 7, 11). Eine solche Argumentation legt nahe, daß die Adressaten die göttliche Einsetzung des levitischen Priestertums (mit Recht) für gegeben ansahen und auch (zu Unrecht) geneigt waren, in ihm eine endgültige Institution zu sehen. Eine solche Haltung kann schwerlich von ehemaligen

Heiden angenommen werden, die wohl zu keiner Zeit von einer Vollendung alttestamentlicher Institutionen ausgingen (BRUCE XXVII). Der Argumentation von BRUCE schließen sich NEIL R. LIGHTFOOT (30 ff.) und J. A. T. ROBINSON (Redating 207) an.

BOURKE (382), der ebenfalls für einen judenchristlichen Leserkreis eintritt, betont darüber hinaus: Die Absicht des Autors, zu beweisen, daß der Opferkultus des Alten Testaments durch das Opfer Christi ersetzt wurde, beweist an sich noch nicht zweifelsfrei, daß sich das Schreiben an gelehrte Juden richtet; denn auch der Galaterbrief, der an Heidenchristen geschrieben ist, betont deren Freiheit vom mosaischen Gesetz; nichtsdestoweniger erklärt die Hypothese, daß der Hebr an Judenchristen gerichtet ist, am besten die ausführliche Weise, wie der Verfasser die Überwindung des Alten Bundes und seines Kultes erörtert; anders als im Galaterbrief gibt es kein positives Anzeichen dafür, daß die Adressaten Heidenchristen waren, denen die alttestamentlichen Institutionen durch Einflußnahme von außen nahegebracht worden waren. Die in 3, 12 ausgesprochene Warnung, „vom lebendigen Gott abzufallen", die wohl als gewichtigstes Argument für einen heidenchristlichen Adressatenkreis angesehen wird (vgl. auch MICHEL 49), ist gleichbedeutend mit der Mahnung, die Herzen nicht zu verhärten (3, 8.13.15). Die Annahme, es könnten nur heidenchristliche Leser gemeint sein, übersieht, daß diese Warnungen ja auf dem Hintergrund des Berichtes über die Verhärtung (vgl. 3, 16), den Unglauben (vgl. 4, 2) der israelitischen Wüstengeneration ausgesprochen sind. Der Autor will den Lesern das Verhalten ihrer Väter als abschreckendes Beispiel vor Augen halten. Das „böse Herz des Unglaubens, der im Abfall vom lebendigen Gott besteht" (3, 12), ist das aus Unglauben (δι' ἀπιστίαν: 3, 19) verhärtete, verbitterte Herz (3, 13.16).

Kann man darüber hinaus im Text des Hebr Hinweise dafür finden, daß die Adressaten eine bestimmte Gruppe innerhalb des Judenchristentums darstellten? P. E. HUGHES (18) meint, es bestehe „allgemeine Übereinstimmung" darüber, daß der Brief sich nicht an eine Gemeinde in ihrer Gesamtheit richtete, wo immer diese zu suchen wäre. Er führt dafür Hebr 13, 24 an, wo die Leser aufgefordert werden, alle ihre Gemeindeleiter und alle Heiligen zu grüßen: womit implizit gesagt wäre, daß es außer ihren eigenen noch andere leitende Personen und noch andere Heilige als sie selbst in ihrer unmittelbaren Nähe gab. HUGHES übersieht dabei allerdings, daß die Meinungen hinsichtlich der ursprünglichen Zugehörigkeit des Schlusses (ab 13, 22) zum Hebr durchaus geteilt sind.

Schon TH. ZAHN hatte im Anschluß an den Begriff ἐπισυναγωγή, Hebr 10, 25, an eine Gruppe mit besonderen Vorstehern innerhalb einer Gesamtgemeinde gedacht, vielleicht in der Art der Röm 16, 5; 1 Kor 16, 19 erwähnten Hausgemeinde bei Priscilla und Aquila (Einleitung II, 151); ganz ähnlich C. SPICQ, der auf den Unterschied von ἐπισυναγωγή und ἐκκλησία hinweist; das Kompositum ἐπισυναγωγή soll auf die besondere Form gerade dieser Gruppe gegenüber anderen Gemeinschaften hinweisen (I, 255). W. MANSON (69) denkt sogar an eine innerhalb der jüdischen Synagoge verbliebene christliche Gruppe. Doch ist entgegen anderslautenden Vermutungen mit ἐπισυναγωγή nichts anderes als die regelmäßige kultische Gemeindeversammlung (vgl. Apg 2, 46; 20, 7; 1 Kor 16, 2) gemeint, und μὴ ἐγκαταλείποντες τὴν ἐπισυναγωγὴν ἑαυτῶν ist zu übersetzen: „indem wir unsere Gemeindeversammlung nicht versäumen" (s. die ausführliche Erörterung in dem Exkurs ›Note on the Meaning of ἐπισυναγωγή‹ bei P. E. HUGHES 417f.; MICHEL übersetzt: „und nicht unsere Versammlung verlassen", 342, wobei er „Versammlung" offensichtlich als festumrissenen Kreis versteht; vgl. seine Erläuterung 349, Anm. 2: „ἐγκαταλείπειν ‚im Stich lassen' ist ein besonders starker Ausdruck und darf nicht abgeschwächt werden"; er verweist auf 2 Tim 4, 10. 16; die gleiche Bedeutung auch Mt 27, 46. Trifft diese Interpretation zu, so will der Verfasser die Leser vor dem Abfall von der Gemeinde warnen.)

Seit der Entdeckung der Schriftrollen vom Toten Meer wurden mehrfach Hypothesen über eine Beziehung des Hebr zu den Qumran-Essenern vorgetragen. H. KOSMALA sah in dem Hebr ein an eine essenische Gruppe gerichtetes Schreiben mit dem Zweck, sie zu Anhängern Jesu zu machen (Hebräer 44ff.). Y. YADIN dagegen sieht in den Adressaten ehemalige Essener oder wenigstens durch essenisches Milieu beeinflußte ehemalige Juden (Dead Sea Scrolls). C. SPICQ denkt an Judenchristen priesterlicher Herkunft: Apg 6, 7 ist von einer großen Anzahl (πολὺς ὄχλος) von Priestern die Rede, die Christen geworden waren (I, 225ff.; Rev. Qumr. 1, 365ff.). O. MICHEL ist skeptisch, was den Nachweis direkter Beziehungen des Hebr zu Qumran betrifft; doch deuten sprachliche und begriffliche Ähnlichkeiten auf einen gemeinsamen Hintergrund hin (s. besonders den Nachtrag: „Wichtige Parallelen zu Hebr 10, 19ff. aus den Schriftrollen vom Toten Meer": Hebr-Komm. ¹³1975, 557f.). In seinem Aufsatz ›'To the Hebrews' or 'To the Essenes'?‹ hat F. F. BRUCE die Frage möglicher Adressaten aus essenischem

Milieu eingehend erörtert und ist zu einem negativen Ergebnis gekommen (ähnlich auch J. COPPENS, Affinités; s. auch u. Abschn.
A.VII).

2. Bestimmungsort

Die Frage nach dem Bestimmungsort des Hebr, sachlich sicher
weniger wichtig als die nach der Art des Leserkreises (SPICQ I, 221),
und ihre Beantwortung hängt vor allem davon ab, ob man dazu
Hebr 13, 24: ἀσπάζονται ὑμᾶς οἱ ἀπὸ τῆς Ἰταλίας, heranzieht
und wie man diesen Satz versteht. Einmal vorausgesetzt, der Schluß
sei integraler Bestandteil des ursprünglichen Briefes und kein Zu-
satz von anderer Hand, so ergeben sich mehrere Deutungsmöglich-
keiten:

1. Das sich zunächst anbietende Verständnis des Satzes: „Die aus
Italien senden euch Grüße" ist, daß eine italienische Gemeinde von
ihren nicht in Italien weilenden Landsleuten gegrüßt wird. Der Verfasser hält sich dann mit diesen letzteren außerhalb von Italien auf.

2. Der Verfasser hält sich gegenwärtig in Italien auf. Die Christen, die bei ihm sind, grüßen eine Gemeinde außerhalb Italiens.
Wenn auf diese Weise unter den ἀπὸ τῆς Ἰταλίας die jetzt in Italien
lebenden Christen gemeint sind, dann könnten die Adressaten
möglicherweise in Palästina zu suchen sein.

WIKENHAUSER-SCHMID (Einleitung 562), die diese beiden Möglichkeiten erörtern, neigen der letzteren zu. Gegen einen aus Italien
schreibenden Verfasser fällt jedoch der Einwand ZAHNS ins Gewicht: „Aber befremdlich bleibt es in diesem Fall, daß er die Christen seiner Umgebung nicht entweder als die um ihn befindlichen
Brüder oder Heiligen oder als die Gemeinde des Orts, wo er sich
aufhält (1 Petr 5, 13), sondern statt dessen nach ihrer Herkunft als
Leute aus Italien bezeichnet" (Einl. II, 147). Ganz ähnlich argumentiert J. A. T. ROBINSON (Redating 206): „Die von England grüßen euch" ergibt Sinn in einem Brief, der z. B. nach London gerichtet ist, nicht in einem solchen von London an im Ausland lebende
Engländer. Er schlägt deshalb als Übersetzung von 13, 24 vor:
"Those who come from Italy greet you." Die Adressaten sieht er
näherhin in einer Synagoge oder Gruppe von Judenchristen innerhalb der Kirche von Rom (ebd. 207; ebenso schon W. MANSON,
Epistle 162, BRUCE XXIV, Anm. 8, und neuerdings HAGNER XVII
und GUTHRIE 27).

HUGHES, der der erstgenannten Lösung den Vorzug gibt, erweitert seine Hypothese durch die Erwägung, daß die Grüßenden in dem Sinne „aus Italien" waren, daß Italien ihr Geburtsland war und sie sich von Christen nichtitalischer Herkunft unterschieden, die aber auch in Italien weilten. Dies würde auf die kosmopolitischen Verhältnisse in Rom zutreffen (16). Die Meinung, daß der Hebräerbrief „ad Iudaeos, qui Romae degebant, et Christo nomen dederant, scriptam fuisse", wurde erstmals von JOHANN JAKOB WETTSTEIN (II, 386) vertreten. Gegen die Jerusalemer Gemeinde als Empfänger schienen ihm Hebr 6, 10; 13, 16 zu sprechen, aus denen hervorgeht, daß die Adressaten zu karitativer Tätigkeit imstande waren, wogegen die Gemeinde in Jerusalem sonst als bedürftig bezeugt ist (Röm 15, 26; 1 Kor 16, 3; 2 Kor 8, 4; Gal 2, 10; Apg 11, 29; 24, 17). Im allgemeinen wird dieses Argument gegen eine Adressierung des Hebr nach Jerusalem bis heute für zwingend gehalten (BRUCE, XXXII). Doch hält unter den neueren Kommentatoren noch BUCHANAN an Jerusalem als Bestimmungsort fest. Er denkt an die christlich gewordenen Mitglieder einer streng geschlossenen, monastischen Sekte, die aufgrund messianischer Erwartungen bereits vor dem Jahre 70 nach Jerusalem eingewandert waren. In Hebr 12, 22 (προσεληλύθατε Σιών) sieht er, obgleich dort vom himmlischen Jerusalem die Rede ist, eine Anspielung auf diese Ankunft (256. 258). Es leuchtet ein, daß die aus der Bedürftigkeit der Jerusalemer Gemeinde abgeleiteten Argumente gegen Jerusalem als Bestimmungsort nicht zutreffen, wenn die Adressaten eschatologisch motivierte Pilger sind, die sich dort niedergelassen haben.

3. Eine dritte Interpretationsmöglichkeit des Satzes: „Es grüßen euch die von Italien" wird von MONTEFIORE erwogen: Es könnte sich um Judenchristen handeln, die infolge der Vertreibung der Juden durch Claudius im Jahre 49 n. Chr. (Sueton, Claudius 25, 4) in die östliche Reichshälfte gekommen waren, so wie es für Priscilla und Aquila (Apg 18, 2) zutraf. Sie könnten sich, vielleicht in Griechenland, bei dem Autor befunden haben, als er an eine Gemeinde in Kleinasien oder Palästina schrieb. (MONTEFIORE nimmt an, der Brief könne von Ephesus nach Korinth geschrieben worden sein und Aquila und Priscilla könnten unter denen „aus Italien" sein, die Grüße senden: 254.)

Als Bestimmungsort des Hebr sind außer Jerusalem und Rom eine Menge Städte „von Spanien bis Galatien" (HUGHES, 18) genannt worden, darunter am häufigsten Alexandria in Ägypten, Ephesus oder Kolossae, und Antiochien in Syrien. Wirklich überzeugende Gründe sind für keinen dieser Plätze vorgebracht worden, und alle Hypothesen über einen Bestimmungsort kommen über den Charakter einer bloßen Vermutung nicht hinaus (s. vor allem Bruce, XXXIff.). Das gilt auch für die an sich bestechende, aber doch wohl zu fein gestrickte Theorie Montefiores, der aufgrund eines Vergleiches von Hebr und 1 Kor den Schluß nahelegen möchte, der Hebr sei von Apollos in Ephesus an die Gemeinde in Korinth, speziell an deren judenchristliche Mitglieder, etwa um 52–54 n. Chr. geschrieben worden (22–28).

III. Datierung

Fast allgemein wird als Terminus ante quem für den Hebr das Jahr 95 angegeben. Grund für diese Annahme ist der erste Klemensbrief, der um 95 geschrieben ist und den Hebr ausgiebig zitiert. Neil R. Lightfoot hat in seinem Kommentar (28 ff.) die Parallelen von Hebr und 1 Clem übersichtlich zusammengestellt (vgl. besonders Hebr 1, 3–5. 7. 13 und 1 Clem 36, 2–5; Hebr 2, 18; 3, 1 und 1 Clem 36, 1; Hebr 3, 2. 5 und 1 Clem 17, 5; 43, 1; Hebr 11, 31 und 1 Clem 56, 2–3. 16; gute Zusammenstellungen auch bei Spicq I, 177 und Knoch, Eigenart 89–92). D. A. Hagner (Use 179–195) hat alle Parallelen, einschließlich der Anspielungen, eingehend untersucht und kommt zu dem Ergebnis, daß der Verfasser des 1 Clem den Hebr gelesen und geschätzt hat, aus ihm lernte und ihn in seinem Hirtenschreiben an die Kirche von Korinth verwendete (194). Besondere Beachtung verdient der Hinweis Hagners, daß 1 Clem wie Hebr den Heiligen Geist als Autor alttestamentlicher Worte ohne Angabe der menschlichen Quelle anführt (1 Clem 13, 1: λέγει γὰρ τὸ πνεῦμα τὸ ἅγιον; 16, 2: καθὼς τὸ πνεῦμα τὸ ἅγιον περὶ αὐτοῦ ἐλάλησεν; vgl. Hebr 3, 7: καθὼς λέγει τὸ πνεῦμα τὸ ἅγιον; 10, 15: μαρτυρεῖ δὲ ἡμῖν καὶ τὸ πνεῦμα τὸ ἅγιον; 9, 8: τοῦτο δηλοῦντος τοῦ πνεύματος τοῦ ἁγίου). In keiner anderen neutestamentlichen Schrift werden in dieser Weise alttestamentliche Stellen als Worte des Heiligen Geistes angeführt (Hagner, Use, 193 u. ebd. Anm. 2).

Demgegenüber hat M. Mees (Hohepriester-Theologie), wie vor ihm schon K. Beyschlag (Clemens Romanus 29) und G. Theissen (Untersuchungen 34–41), die Benutzung des Hebr durch den Autor des 1 Clem grundsätzlich in Frage gestellt. Mees schließt dies vor allem aus der Verschiedenheit der theologischen Anschauungen in beiden Briefen. Das literarische Genus des 1 Clem zugrundelie-

genden Stoffes verweise mit seinen Akklamationen und Christus-
hymnen auf die Liturgie. Demnach vermutet MEES, daß die Liturgie, nicht der Hebr, Anregung und Material für die Ausgestaltung
der Hohepriester-Christologie in 1 Clem 36 gegeben habe, und er
hält es für möglich, daß der Hohepriester-Titel auch außerhalb des
Hebr und unabhängig von ihm benutzt wurde. Gegen die Darstellung und Argumentation HAGNERS hält jedoch diese These nicht
stand. Von einer direkten literarischen Abhängigkeit des 1 Clem
vom Hebr zeigt sich auch A. LINDEMANN (Paulus 233 f.) überzeugt.
Ein Teil der neueren Einleitungswerke in das NT dagegen übernimmt ganz unkritisch die Sicht THEISSENS, so SCHENKE-FISCHER
(Einleitung, 271 f.; über die Abhängigkeit des 1 Clem vom Hebr s.
schon Eusebius, Kirchengeschichte III, 38, 1–2).

Eine ganz andere Frage ist es, ob 1 Clem nicht viel früher zu datieren ist als in das letzte Jahrzehnt des ersten Jahrhunderts. Überzeugt durch die erstmals 1913 von GEORGE EDMUNDSON (The
Church in Rome in the First Century 188ff.) vorgetragenen Argumente nimmt JOHN A. T. ROBINSON an, daß 1 Clem gegen Anfang
des Jahres 70 geschrieben wurde (Redating the NT 327ff.). Ein entscheidender Grund für eine Frühdatierung ist, daß 1 Clem, ebenso
wie Hebr, offensichtlich den noch bestehenden Opferkult des
Tempels von Jerusalem voraussetzt: „Nicht an jedem Ort, Brüder,
werden die Opfer . . . dargebracht, sondern allein in Jerusalem.
Und auch dort wird nicht an jedem Platz geopfert, sondern vor dem
Tempel am Altar, nach Prüfung der Opfergabe durch den Hohenpriester und die vorgenannten Kultdiener" (41). Ferner scheint die
Neronische Christenverfolgung noch in lebendiger Erinnerung zu
sein (5 f.).

Unabhängig von dem Verhältnis zu 1 Clem hängt die Frage der
Datierung des Hebr wesentlich davon ab, wie man seine Aussagen
über den jüdischen Kultus beurteilt; mit anderen Worten: setzt der
Hebr noch das Bestehen des Tempelkultus voraus, so ist er vor der
Zerstörung Jerusalems im Jahre 70 geschrieben; hat der Verfasser
dagegen nur das im Alten Testament beschriebene Heiligtum, die
Stiftshütte, im Auge, so ist eine Datierung nach 70 möglich, und,
wenn andere Gründe es nahelegen, auch wahrscheinlich.

Die neueren deutschsprachigen Einleitungen und Kommentare
entscheiden sich in der überwiegenden Mehrzahl für eine Spätdatierung. WIKENHAUSER-SCHMID (Einleitung 561) treten für eine Abfassung in der Regierungszeit Domitians (81–96 n. Chr.), näherhin
in den achtziger Jahren, ein. Da der Verfasser, wenn er vom Hohe-

priestertum Jesu spricht, auf den alttestamentlichen Kult zurück-
blicke, dabei aber nie von dem Herodianischen Tempel spreche,
lasse sich hieraus auch kein Anhaltspunkt gewinnen, ob dieser
Tempel noch stehe oder schon zerstört sei (ebenso KÜMMEL, Einleitung 355; LOHSE, Entstehung 127; FIORENZA, Anführer 264;
MARXSEN, Einleitung 219; SCHELKLE, NT 197; SCHENKE-FISCHER,
Einleitung 271; VIELHAUER, Geschichte 247. 251; KÖSTER, Einführung 710; ZIMMERMANN, Bekenntnis 14; MICHEL, 15; ferner:
J. CAMBIER in ROBERT-FEUILLET, 485).

Als einziger von den neueren deutschsprachigen Exegeten, soweit ich sehe, setzt A. STROBEL in seinem Kommentar (83) die Abfassung um 60 n. Chr. an. Er befindet sich damit in der Gesellschaft
fast aller Angelsachsen. Das Hauptargument für eine Frühdatierung
faßt J. A. T. ROBINSON folgendermaßen zusammen: „Das Gesamt-
thema des Hebräerbriefes ist die endgültige Überwindung des
levitischen Systems, seines Priestertums und seiner Opfer durch
Christus. Die Zerstörung des Tempels, die dieses System in seiner
physischen Wirklichkeit zu Ende brachte, hätte ganz gewiß, wenn
sie stattgefunden hätte, irgendwo ihre Spur hinterlassen müssen. Es
wird allgemein angenommen, daß es keine solche Beziehung oder
Anspielung gibt" (Redating 200).

Zu der Tatsache, daß im Hebr der jüdische Kult durchweg als
Einrichtung der Gegenwart Gegenstand theologischer Argumentation ist, wird bemerkt, daß dies keinen Rückschluß auf die Datierung zulasse. Viele dieser Stellen (5, 1–4; 8, 3–5; 9, 6f.; 10, 1) sind
eher zeitlose Beschreibungen ritueller Übungen. Für die Befürwor-
ter einer Spätdatierung fällt aber vor allem ins Gewicht, daß der
Auctor ad Hebraeos dort, wo er das jüdische Heiligtum beschreibt
(9, 1–7), nicht von dem Herodianischen Tempel, sondern von der
σκηνή, der Stiftshütte des Alten Testaments, spricht. Wenn er aber
dann fortfährt, daß es „ein Gleichnis für die gegenwärtige Zeit" sei,
daß das erste Zelt noch Bestand habe (9, 8f.), so meint er damit zwar
nicht direkt den Fortbestand des Tempels von Jerusalem, sondern
nimmt Bezug auf die noch immer gültigen Opferbräuche (δῶρά τε
καὶ θυσίαι), die den Opfernden nur äußerlich, aber nicht im Gewissen rechtfertigen und vollenden können „bis zur Zeit der Re-
form" (9, 9f.). Von besonderem Gewicht ist schließlich 13, 10, wo
der Verfasser betont, daß „die dem Zelt Dienenden" (ROBINSON:
"the priests who serve the tent") kein Recht haben, vom Opferaltar
der Christen zu essen. σκηνή bezeichnet also nicht allein die mosai-
sche Stiftshütte, sondern steht symbolisch für den jüdischen Opfer-

kultus (ROBINSON, Redating 204, mit Hinweis auf G. A. BARTON, The Date of the Epistle to the Hebrews, 1938; s. auch MICHAELIS, Art. σκηνή, 378: „Offensichtlich meint er die Priester des alttestamentlichen Kultus"). Die Interpretation von H. KOESTER ("Outside"), nach der Hebr 13, 10 generell alle, auch Christen, die sich auf kultische und rituelle Bräuche als Heilsmittel verließen, gemeint seien, vermag nicht zu überzeugen.

Der Hebr geht in seiner theologischen Argumentation naturgemäß von alttestamentlichem Gesetz und dem Hohepriestertum, wie es dort beschrieben und kodifiziert ist, aus, um ihm das Hohepriestertum Jesu gegenüberzustellen. Aber der Verfasser vergißt dabei nicht die konkrete Situation seiner Leser. Es wäre kaum zu begreifen, daß er von der Zerstörung des Tempels von Jerusalem zwar gewußt, sie aber überhaupt nicht erwähnt hätte (so MONTEFIORE 3).

Auch eine Stelle wie 10, 1 ff. – wo gesagt ist, daß die Opfer hätten aufhören müssen, wenn die Opfernden ein für allemal gereinigt worden wären, statt dessen aber erinnern sie (immer noch!) jährlich an die Sünden – ist schwer vorstellbar in einer geschichtlichen Situation, in der der Opferkult tatsächlich aufgehört hatte (ROBINSON 202). Nach der Untersuchung von A. GUTTMANN: ›The End of the Jewish Sacrifical Cult‹ (1967) ist das Weiterbestehen des Opferkultus am Tempel von Jerusalem nach dem Jahre 70 ganz unwahrscheinlich, wenn auch die Möglichkeit privater Opfer nicht gänzlich auszuschließen ist (gegen K. W. CLARK, Worship).

Für eine Datierung des Hebr vor der Zerstörung Jerusalems treten ferner ein: W. MANSON, der in 12, 4: „Noch habt ihr nicht bis aufs Blut widerstanden im Kampf gegen die Sünde", ebenso wie in 6, 9f. und 10, 32–34 Anspielungen auf die historische Situation der Adressaten sieht; wenn der Verfasser die Vertreibung der Juden durch Claudius im Jahre 49 im Auge hat, dann wäre der Hebr um das Jahr 60 zu datieren, ein oder zwei Jahre nach dem Römerbrief des Paulus (Epistle 162 ff.; vgl. 40 f.; 71 f.); T. W. MANSON (zwischen 55 und 70: Problem 11); BRUCE (vor, aber nicht lange vor dem Ausbruch der Neronischen Verfolgung des Jahres 64 in Rom: XLIII); BUCHANAN (261 ff.); LIGHTFOOT (im Anschluß an C. F. D. MOULE, Sanctuary 37: etwa um das Jahr 65: 35); SYNGE (nicht später als 55: Hebrews 57); GUTHRIE (entweder unmittelbar vor dem Fall Jerusalems, wenn Jerusalem selbst der Bestimmungsort war, oder kurz vor der Neronischen Verfolgung, wenn der Brief nach Rom gesandt wurde: Introduction 718); HUGHES (kurz vor 70: 30 f.).

HUGHES (30) kritisiert, mit Recht, die allgemein verbreitete Charakterisierung der Empfänger des Hebräerbriefs als „Christen der zweiten Generation". Der 5, 11 ff. geäußerte Vorwurf, daß sie schon längst Lehrer sein müßten, anstatt noch selbst Unterweisung in den Anfangsgründen nötig zu haben, besagt nicht mehr, als „daß die Empfänger seit einigen Jahren Christen waren". διὰ τὸν χρόνον (5, 12) bedeutet also: wegen der Zeit, die ihr schon Christen seid, die seit eurer Bekehrung verflossen ist. Ähnlich ist die Erinnerung an die früheren Tage 10, 32 zu verstehen. φωτισθέντες beweist, daß es sich um die erste Generation von Bekehrten, nicht um die zweite oder dritte Christengeneration handelt. Die Bemerkung, daß das Evangelium „uns bezeugt wurde von denen, die den Herrn gehört haben" (2, 3) will sagen, daß der Autor und die Christen, denen er schreibt, das Evangelium von Leuten, vielleicht Aposteln, hörten, die von Jesus selbst die Botschaft empfangen hatten (HUGHES 30). Nach GUTHRIE läßt 13, 7. 17 auf eine sehr frühe Situation der Kirchenverfassung schließen, da keine kirchlichen Amtsträger mit Namen genannt werden, sondern nur sehr allgemein von „Vorstehern" die Rede ist (Introduction 717).

Für eine Frühdatierung des Hebr können auch sachlich-theologische Gründe angeführt werden, so die noch ungebrochene eschatologische Naherwartung (9, 26; 10, 25. 37) und die in einem frühen Entwicklungsstadium befindliche Christologie (s. dazu u. Teil B).

IV. Anlaß und Absicht

Der Hebräerbrief selbst gibt keinen direkten und konkreten Hinweis auf den Anlaß seiner Entstehung. Die Exegeten haben deshalb eine Reihe von Hypothesen konstruiert, die eng zusammenhängen mit der jeweiligen Position, die bezüglich der Adressaten eingenommen wird. Nach MONTEFIORE (20 f.) hat Apollos den Brief an die Korinther geschrieben, hauptsächlich um die Überlegenheit des christlichen Glaubens über den jüdischen aufzuzeigen und die Gemeinde vor einem Abfall oder Rückfall in das Judentum zu warnen. Ferner wollte er die Verbundenheit mit den Vorstehern stärken, ihnen für den Fall der Verfolgung Mut zusprechen (Hebr 12, 4) und sie an ihre wahre Heimstatt erinnern. Der später geschriebene 1 Kor beweist, daß die Mahnungen des Apollos nur geringen Erfolg hatten: die Warnung vor Habsucht (Hebr 13, 5f.; vgl. 1 Kor 6, 1–9), vor seltsamen Speisebräuchen (Hebr 13, 9f.; vgl. 1

Kor 8, 7–13; 10, 23–32), vor Ehebruch und Hurerei (Hebr 13, 4; vgl. 2 Kor 6, 14–7, 1); auch die Kenntnisse in den Elementarlehren des Christentums: Taufe, Auferstehung und Gericht, sind nicht besser geworden (Hebr 6, 2; vgl. 1 Kor 1, 14–17; 15, 12–32).

Eine ganz konkrete Theorie ("undoubtedly the best theory yet advanced to explain the occasion and purpose of the Epistle to the Hebrews") trägt auch HUGHES (12 ff.) vor. Im Anschluß an die Untersuchungen von SPICQ, DANIÉLOU, YADIN und anderen zu den apokalyptischen Erwartungen der Qumran-Essener sieht er den Hauptzweck des Hebr darin, daß eine bestimmte christliche Gruppe vor der Anziehungskraft solcher Lehren gewarnt werden sollte, indem ihnen die Überlegenheit Christi über die Engel (Michael!), Moses und Aaron aufgezeigt wurde.

Unter Verzicht auf eine detaillierte Hypothese hält sich N. R. LIGHTFOOT (35 f.) an die vom Auctor ad Hebraeos selbst gegebene Auskunft (13, 22): er habe geschrieben, um zu ermahnen. Sein Ziel ist, unbeschadet der anspruchsvollen Theologie, vor allem ein praktisches: er will seinen Brüdern, deren erster Enthusiasmus nachgelassen hat, Mut und neue Hoffnung zusprechen. Er ermahnt sie ferner, ihrer Vergangenheit würdig zu sein. Diese Ermahnung ist verbunden mit der Warnung vor dem Abfall zur jüdischen Religion (10, 19–13, 25), nachdem aus einem Vergleich (1, 1–10–18) die Überlegenheit des christlichen Glaubens hervorgegangen ist (ähnlich BUCHANAN 266 f.).

Die früher schon vorgetragenen Hypothesen über Anlaß und Absicht des Hebr hat GUTHRIE übersichtlich zusammengestellt (Introduction 703–710):

1. Um Judenchristen vor dem Abfall zum Judentum zu warnen (SPICQ I, 221 f.); 2. um zurückgezogene Judenchristen zur Weltmission aufzurufen (W. MANSON, W. NEIL); 3. um vor allem Heidenchristen den absoluten Charakter des Christentums darzulegen (J. MOFFATT); 4. um einen frühen Typ von Häresie zu bekämpfen, entweder eine Sekte jüdischer Gnostiker (F. D. V. NARBOROUGH) oder die Häresie von Kolossae (T. W. MANSON).

Nach GUTHRIE selbst (Introduction 710) zeigen alle diese Theorien, daß die Leser es nötig hatten, vor einem Abfall gewarnt zu werden. Welcher Art die Versuchung war, läßt sich nicht sicher feststellen. Positiv läßt sich sagen, daß der Autor die Absicht hat, die Überlegenheit Christi und die Erfüllung des jüdischen Kultus durch ihn zu zeigen. Dies genügt für eine Interpretation des Hauptgedankens des Hebr.

Die Frage nach Anlaß und Absicht des Hebr kann vollständig erst beantwortet werden nach Erörterung der Frage nach dem religionsgeschichtlichen Hintergrund (s. u. A. VII).

V. Literarisches Genus

In unseren bisherigen Ausführungen haben wir mehr oder weniger stillschweigend vorausgesetzt, daß es sich bei dem Hebr tatsächlich um einen Brief handelt. Nicht wenige unter den modernen Kommentatoren verhalten sich ebenso, indem sie der Frage nach dem literarischen Charakter und Genus dieser Schrift wenig Aufmerksamkeit widmen (MONTEFIORE, BRUCE, BUCHANAN, HUGHES). Dennoch ist diese Frage eine der umstrittensten überhaupt in der Hebr-Forschung. Ihre Lösung hängt weitgehend, aber nicht ausschließlich, davon ab, wie man den Schluß 23, 22–25 beurteilt.

1. Der Hebr ist ein wirklicher Brief, das heißt: ein an einen ganz bestimmten Leserkreis adressiertes Sendschreiben. Dies ist die Auffassung der kirchlichen Tradition bis zum Ende des 19. Jahrhunderts. Noch der große Kommentar von B. F. WESTCOTT nimmt sie als selbstverständliche Gegebenheit. E. RIGGENBACH (XIIff.) verteidigt sie ausführlich. Ihm lag schon A. DEISSMANNS Buch ›Licht vom Osten‹ vor.

2. DEISSMANN bestimmt den Hebr als einen Kunstbrief, eine Epistel. „Was ist eine Epistel? Die Epistel ist eine literarische Kunstform, eine Gattung der Literatur, wie zum Beispiel Dialog, Rede, Drama. Sie teilt mit dem Briefe nur die briefliche Form, hat aber im übrigen so wenig mit dem Briefe gemein, daß man den paradoxen Satz wagen könnte, die Epistel sei das Gegenteil des wirklichen Briefes. Der Inhalt der Epistel ist auf die Öffentlichkeit berechnet, will das 'Publikum' interessieren. Ist der Brief ein Geheimnis, so ist die Epistel Marktware ... Was bei dem Briefe die Hauptsache ist, die Adresse und die eigentümlich briefliche Einzelheit, das ist bei der Epistel nur äußeres Ornament, durch das die Illusion der 'brieflichen' Form gewahrt werden soll. Die meisten Briefe sind uns so lange nicht ganz verständlich, als wir die Empfänger und die Situation des Absenders nicht kennen. Die meisten Episteln sind uns verständlich, auch ohne daß wir den angeblichen Adressaten und den Autor kennen ... Der Brief ist ein Stück Leben, die Epistel ist ein Erzeugnis literarischer Kunst" (Licht, 195). Ein literarisches

Kunstprodukt, wie es hier beschrieben ist, ist für DEISSMANN auch „die sogenannte Hebräerepistel"; sie ist sogar „das erste historisch ermittelbare Dokument christlicher Kunstliteratur" (ebd. 207). Sieht man von den wenigen brieflich klingenden Anspielungen 13, 22–24 ab, die „nur Ornament" sind, so könnte das Werk ebensogut eine Rede oder Diatribe sein.

3. Die beiden bisher vorgetragenen Hypothesen haben so viel gemeinsam, daß sie im Hebr ein von Anfang an schriftlich niedergelegtes Werk sehen. H. THYEN (Stil 16 f.) dagegen, der DEISSMANN in der Ablehnung des brieflichen Charakters folgt, sieht im Hebr (vom Schlußabschnitt 13, 22 ff. abgesehen) einen nach allen Regeln der griechischen Rhetorik gebauten, sorgsam disponierten, schriftlich fixierten Lehrvortrag. Mit älteren Forschern (W. SLOT, R. PERDELWITZ) ist er geneigt anzunehmen, daß der Hebr eine wirkliche, mündlich vorgetragene Predigt war. „Diese Hypothese erklärt nun auch sehr einleuchtend und leicht den brieflichen Schluß des Hebr. Ursprünglich reichte Hebr nur bis 13, 21; der Homilet schloß also seinen Vortrag sinn- und stilgemäß mit Doxologie und Amen. Von einem der Hörer wurde die Predigt dann abgeschrieben und mit einem kurzen Gruß versehen (13, 22 ff.)." Die Meinung, daß der Hebr eine schriftlich niedergelegte Homilie sei, vertreten auch F. J. SCHIERSE (nach dem aber das Nachwort 13, 22–25 vom Verfasser selbst stammt: Verheißung, 206 f.) und A. VANHOYE (Structure 219, Anm. 1, mit ausführlicher Erörterung einiger anderer Hypothesen; im ganzen zustimmend zu THYEN äußert sich auch J. SWETNAM, Literary Genre). „Alle Merkmale einer Rede" erkennt auch O. MICHEL an dem Werk. Die literarische Form ist, genau wie bei den übrigen Schriften des Neuen Testaments, gewissermaßen eine Notlösung: „Das Urchristentum ist nur aus Not literarisch" (24). In den neueren Auflagen seines Kommentars hat er einen Nachtrag zum Verständnis von λόγος τῆς παρακλήσεως (13, 22) verfaßt (550 ff.). Dort charakterisiert er den Hebr als eine Homilie vor einer christlichen Zuhörerschaft, die in engem Anschluß an die Texte der Schriften einem ausgesprochen seelsorgerlichen Interesse dient (vgl. auch SPICQ I, 19: «l'éloquence de Hébr. se déploie sous la forme d'un commentaire scripturaire»).

Von den beiden denkbaren Möglichkeiten, daß der Autor von vornherein für eine auswärtige Gemeinde geschrieben und also nicht mündlich vorgetragen hat, oder eine an seinem derzeitigen Aufenthaltsort von ihm gehaltene Predigt auch der Gemeinde, zu der er gehört, übersenden wollte, ziehen WIKENHAUSER-SCHMID

(Einleitung 546) die erstere als die wahrscheinlichere vor. „Wenn das Schreiben von Haus aus eine Predigt war, dann wird verständlich, daß der Verfasser ihm, auch wenn er es als Brief nach auswärts schickt, nicht den Charakter eines eigentlichen Briefes ausdrücken wollte. Er hat also auf das Präskript verzichtet, aber am Schluß einige Sätze von brieflichem Charakter beigefügt" (ebd.).

4. Die Selbstbezeichnung des Schreibens als λόγος τῆς παρακλήσεως läßt bei H. ZIMMERMANN Zweifel an der Richtigkeit der Predigthypothese aufkommen. Ausgehend von den Erwägungen MICHELS, der auf den dezidiert exegetischen Charakter des Hebr aufmerksam macht (s. o.), kommt er zu dem Schluß: „Es handelt sich also weder um eine Epistel noch um einen wirklichen Brief noch auch um eine niedergeschriebene Predigt, sondern im wesentlichen um Auslegung der Schrift, aus der der Verfasser seiner Gemeinde Trost, Hoffnung und Zuversicht in ihrer gegenwärtigen Notlage zusprechen will" (Bekenntnis 7f.).

Wenn auch ZIMMERMANN damit den Hebr durchaus treffend charakterisiert, so lenkt er doch von der Frage nach dem literarischen Genus ab. Diese Frage läßt sich, ohne unzulässige Vereinfachung, sehr wohl auf die Alternative: Predigt oder Brief, und damit: ursprünglich mündliche oder schriftliche Form, zuspitzen. Für einen mündlichen Vortrag wurden alle Stellen angeführt, an denen der Autor sich auf sein eigenes „Sprechen" und das „Hören" der Angeredeten bezieht (2, 5; 5, 11; 7, 7. 9; 8, 1; 9, 5ff.; 13, 6), oder wo er auf die Kürze der ihm zur Verfügung stehenden Redezeit anzuspielen scheint (11, 32). Doch ist die Verwendung der Verben λέγειν, λαλεῖν usw. für schriftliche Äußerungen durchaus geläufig, wie man im Röm sieht, der doch zweifellos ein Brief ist (3, 5; 4, 9; 6, 19; 7, 1; 9, 1; 10, 19; 11, 1. 11. 13; 12, 3; 15, 8). Der Verfasser des Hebr kennzeichnet in dem gleichen Zusammenhang, in dem er das fertige Schriftstück als ermahnende Ansprache (λόγος τῆς παρακλήσεως) bezeichnet, es zugleich als einen Brief (διὰ βραχέων ἐπέστειλα ὑμῖν, 13, 22: so RIGGENBACH XVII). Stellen, wie 5, 11–14; 6, 10; 10, 32–34 gehen auf die konkreten Verhältnisse der angeschriebenen Gemeinde ein. διὰ βραχέων ist nicht befremdlich, wenn es die Kürze des Briefes meint im Vergleich zu der 13, 23 in Aussicht gestellten Ankunft des Verfassers: was er vorab kurz schriftlich umrissen hat, wird er dann mündlich ausführlicher behandeln (anders L. PAUL TRUDINGER, Journ. Theol. Studies 23, 1972, 128–130: ἐπέστειλα bezieht sich nicht auf das Schreiben des ganzen Briefes, sondern heißt "enjoin", "instruct" und bezieht sich nur auf die kurz angebundenen, autoritativen Anweisungen des 13. Kapitels).

Schließlich scheint – trotz VANHOYE, der die «simplicité du style épistolaire» von 13, 22–25 von der «solennité du style oratoire» des vorangehenden Textes abhebt (Structure 219) – kein hinreichender Grund für eine Abtrennung des Brief(!)-Schlusses zu bestehen (vgl. SPICQ I, 24f.), zumal auch 13, 18f. eindeutige Merkmale des Briefstils aufweisen. „Die von einzelnen Forschern . . . vorgeschlagene These, die brieflichen Schlußsätze seien von einem anderen beigefügt worden, würde die unwahrscheinliche Voraussetzung machen, daß nicht der Verfasser, sondern der die Grüße Beifügende mit der Empfängergemeinde in Beziehung stand" (WIKENHAUSER-SCHMID, Einleitung 546). Einen eingehenden und im ganzen überzeugenden Beweis für die Zugehörigkeit des gesamten 13. Kapitels zu dem Hebr hat FLOYD V. FILSON (Yesterday, 1967) geführt. Er hält auch daran fest, daß der Hebr seinem literarischen Genus nach ein Gemeindebrief ist, der von den übrigen Briefen des Neuen Testament nicht so radikal verschieden ist, wie es manchmal dargestellt wurde (ebd. 16–21).

VI. Literarische Struktur

Die Tatsache, daß im Hebr ein literarisches Kunstwerk von hohem Rang, mit sorgfältig durchdachter sprachlicher und gedanklicher Struktur vorliegt, wurde in der neutestamentlichen Exegese von jeher zur Kenntnis genommen. Am Anfang einer gründlicheren Erforschung der literarischen Struktur steht jedoch der Aufsatz von L. VAGANAY, Le plan de l'Epître aux Hébreux (Mémorial Lagrange, Paris 1940, 269–277). VAGANAY erkannte, daß die einzelnen Abschnitte des Briefes durch sogenannte „Klammerworte" (mots-crochets) miteinander verbunden sind. Es handelt sich dabei um eine Art Stichworte, die jeweils in einem vorangehenden Abschnitt das Thema des folgenden abgeben; die beiden ersten Beispiele: am Ende der Einleitung (Hebr 1, 4) gibt das Stichwort τῶν ἀγγέλων das Thema des ersten Teils (1, 5–2, 18) an, an dessen Beginn (1, 5) es wiederholt wird; der zweite Teil, in welchem zwei Themen behandelt werden, wird am Ende des ersten Teils durch die Klammerworte πιστὸς ἀρχιερεύς und ἐλεήμων (2, 17) angekündigt, welche am Beginn der jeweiligen Erörterung (3, 1f. und 5, 1f.) wiederbegegnen; dabei wird das bereits 2, 17f. angekündigte zweite Thema am Ende der Erörterung des ersten nochmals angekündigt (4, 14–16 ἀρχιερέα... συμπαθῆσαι... ἔλεος... βοήθειαν). VAGANAY präzisiert seine Beobachtungen durch zwei Anmerkungen: 1. Was den Platz der Klammerworte betrifft, so folgen sie nicht unbedingt dicht aufeinander am Ende eines Gedankenganges und am Anfang der folgenden Erörterung; andere Begriffe, Sätze oder ein längeres Zitat können sie trennen. 2. Die Abhandlung eines Themas kann in mehrere Sektionen unterteilt sein; in diesem Fall kündigt der Autor am Ende des vorangehenden Abschnittes die einzelnen Sektionen des folgenden durch ebenso viele Klammerworte an, jedoch oft in umgekehrter Reihenfolge, als sie später behandelt werden; dieses Verfahren ist in der antiken Rhetorik unter dem Namen Hysteron-Proteron bekannt (VAGANAY, Plan 270).

Aufgrund seiner Beobachtungen kommt VAGANAY zu einem neuen Aufbau des Hebr: es ergibt sich nach ihm, abgesehen von Einleitung (1, 1–4) und Schluß (13, 22–25) eine Einteilung in fünf Hauptabschnitte:

I. Jesus höher als die Engel (1, 5–2, 18)
II. Jesus als mitleidsvoller und treuer Hohepriester (3, 1–5, 10), abgehandelt in zwei Sektionen:
    1. Jesus als treuer Hohepriester (3, 1–4, 16)
    2. Jesus als mitleidsvoller Hohepriester (5, 1–10)
III. Jesus als Urheber eines ewigen Heils, vollkommener Hohepriester, Priester nach der Ordnung Melchisedeks (5, 11–10, 39)
    Vorbereitende Bemerkungen vor Inangriffnahme des Hauptthemas (5, 11–6, 20); es folgt die Behandlung des Themas in drei Sektionen:
    1. Jesus als Priester nach der Ordnung Melchisedeks (7, 1–28)
    2. Jesus als vollkommener Hohepriester (8, 1–9, 28)
    3. Jesus als Urheber eines ewigen Heils (10, 1–39)
IV. Das Ausharren im Glauben (11, 1–12, 13), in zwei Sektionen:
    1. Der Glauben (11, 1–12, 2)
    2. Das Ausharren (12, 3–13)
V. Die Verpflichtung zur Heiligkeit im Frieden (12, 14–13, 21).

C. SPICQ äußert sich in seinem großen Kommentar im ganzen anerkennend zu der Analyse und Einteilung VAGANAYs, hat aber wohl Reserven, sie seinerseits ohne Abstriche zu übernehmen (I, 31–33). Auf den Beobachtungen VAGANAYs aufbauend hat es A. VANHOYE unternommen, den Hebr im Detail auf seine literarische Struktur hin zu untersuchen (La structure littéraire de l'Epître aux Hébreux, 1963; zweite durchgesehene und erweiterte Auflage 1976). Trotz Kritik in einzelnen Punkten kommt VANHOYE doch im ganzen zu

einer definitiven Bestätigung der Ergebnisse VAGANAYS. Nach einer
Erhebung aller Klammerworte (o.c. 53–58) ergibt sich für VAN-
HOYE folgendes Strukturschema des Hebr:

Einteilung		Hauptgedanken	Dominierendes Genus	Entsprechender Abschnitt
a	1,1–4	Einleitung		z
I:	1,5–2,18	Ein anderer Name als der der Engel	Doktr.	V
II:	A. 3,1–4,14	Jesus, glaubwürdiger Hohepriester	Parän.	IV B
	B. 4,15–5,10	Jesus, mitleidsvoller Hohepriester	Doktr.	IV A
	p. 5,11–6,20	Einleitende Ermahnung Jesus, Hoherpriester	Parän.	III f.
III:	A. 7,1–28	nach der Ordnung Melchisedechs	Doktr.	III C
	B. 8,1–9,28	zur Vollendung gelangt	Doktr.	Mitte
	C. 10,1–18	Urheber ewigen Heils	Doktr.	III A
	f. 10,19–39	Abschließende Ermahnung	Parän.	III p.
IV:	A. 11,1–40	Der Glaube der Alten	Doktr.	II B
	B. 12,1–13	Die notwendige Ausdauer	Parän.	II A
V:	12,14–13,19	Gerade Wege (1. Aufl.: Friede, Frucht der Gerechtigkeit)	Parän.	I
z	13,20–21	Schluß		a

(13, 22–25 wird als « mot d'envoi » oder « billet d'envoi » im Strukturschema nicht berücksichtigt).

Aus diesem Schema wird der konzentrisch geordnete und chia-
stisch angelegte Aufbau des Briefes deutlich. In den Untersuchungen der Einzelabschnitte durch VANHOYE bestätigt sich die schon
von VAGANAY bemerkte, rhetorisch-kunstvolle Gedankenführung,

mit Ankündigung durch das jeweilige Stichwort, Entwicklung des Gedankens und abschließender Zusammenfassung des behandelten Themas in prägnanten Formulierungen. VANHOYES Gliederung hat dennoch Kritik erfahren, da sie manchem als allzu konstruiert erschien, z. B. KÜMMEL (Einleitung 344) und ZIMMERMANN (Bekenntnis 20), die sich beide W. NAUCK anschließen: nach ihm sind die paränetischen Abschnitte Ziel und Höhepunkte und muß von ihnen her die Gliederung begriffen werden (Aufbau, 203). Es ergäbe sich dann eine Gliederung in drei Hauptteile (1, 1–4, 13; 4, 14–10, 31; 10, 32–13, 17) und Schluß (13, 18–25). Dieser Aufbau „zeigt, daß die theologischen Darlegungen von den paränetischen Abschnitten nicht nur unterbrochen werden, sondern daß sowohl die Theologie als auch die Paränese die Mahnrede bestimmen. Darüber hinaus bringt sie den zielstrebigen Gedankengang des Schreibens klar zum Ausdruck, der vom Hören des Wortes Gottes zum Bekennen und zur Nachfolge führt" (ZIMMERMANN, Bekenntnis 24). Ähnlich urteilt E. FIORENZA: „Die Strukturanalyse W. NAUCKS führt über die VANHOYES hinaus, da sie zu zeigen vermag, daß die theologischen Darlegungen des Hebr nicht Selbstzweck, sondern innerlich auf die Paränese hingeordnet sind" (Anführer 270).

VANHOYE selbst hat den Beitrag NAUCKS durchaus negativ beurteilt (Structure 31 f.). FIORENZA scheint es ebenso wie ZIMMERMANN entgangen zu sein, daß der genannte Beitrag vor dem Buch VANHOYES erschienen war – ein Vorwurf, den VANHOYE auch gegen E. GRÄSSER erhebt, der in seinem Forschungsbericht (ThR 30, 1964, 166f.) den Artikel von NAUCK zustimmend als einen die Diskussion abschließenden Beitrag bezeichnet hatte (Discussions, Bibl 55, 1974, 366, Anm. 2). Die von ZIMMERMANN, FIORENZA und anderen vertretene Ansicht, daß das Hauptgewicht des Hebr in seinen paränetischen Teilen, nicht in den theologischen Erörterungen liege, ist im übrigen keineswegs unbestritten (s. z. B. H.-M. SCHENKE, Erwägungen 422).

Ausführlich auseinandergesetzt mit dem Strukturschema VANHOYES hat sich J. SWETNAM (Form and Content, Bibl 53 und 55). Sein Haupteinwand richtet sich gegen die von VANHOYE angenommene Symmetrie in der Anlage des Hebr: „Die Plazierung der Mahnrede 5, 11– 6, 20 *vor* den zentralen Abschnitt ist anomal; normalerweise folgt die Mahnrede auf die Darlegung. Diese Betrachtung allein genügt, um VANHOYES gesamte Struktur suspekt zu machen, denn wenn 5, 11–6, 20 aus dem zentralen Abschnitt herausgenommen wird, zerstört das die konzentrische Symmetrie von

VANHOYES Plan" (Bibl 55, 1974, 345 f.). SWETNAMS Alternativvorschlag möchte der von ihm postulierten psychologischen Plausibilität und Durchschaubarkeit des Strukturschemas für den Leser näherkommen. VANHOYE entgegnet den Kritikern seines Buches, vor allem J. THURÉN (Lobopfer) und SWETNAM (s. o.), aber auch den Einwänden mehrerer Rezensenten in seinem Artikel ›Discussions sur la structure de l'Epître aux Hébreux‹ (Bibl 55, 1974, 349–380). Dem oft geäußerten Einwand, der Autor des Hebr könne unmöglich sein Werk in dieser Feinheit und Symmetrie strukturiert haben – „Das ist zu schön, um wahr zu sein!" – begegnet VANHOYE mit dem Hinweis, seine eigene Arbeit sei analytischer Natur, während der Autor bei der Abfassung seines Werkes kompositorisch vorgegangen sei. Man müsse keineswegs annehmen, der Autor habe jeden Schritt der Komposition bewußt vollzogen. Vielmehr resultieren zahlreiche Elemente, die die Analyse entdeckt, ganz einfach aus der literarischen Bildung des Verfassers, in dessen Arbeit sie unbewußt einfließen können (Discussions 352 f.).

In Kenntnis der Arbeit von VANHOYE schlagen neuere Kommentare einen anderen Aufbau vor. Dabei kommt die Einteilung M. M. BOURKES (Jerome Bibl. Comm. 382 f.) derjenigen VANHOYES doch recht nahe: I. Einleitung (1, 1–4); II. Der Sohn höher als die Engel (1, 5–2, 18); III. Jesus, getreuer und mitleidsvoller Hoherpriester (3, 1–5, 10); IV. Jesu ewiges Priestertum und ewiges Opfer (5, 11–10, 39); V. Beispiele, Disziplin, Ungehorsam (11, 1–12, 29); VI. Schlußermahnung, Segen, Grüße (13, 1–25). D. GUTHRIE dagegen hält an der Teilung in zwei große Abschnitte fest, von denen der erste einen überwiegend theologisch-lehrhaften, der zweite einen vorwiegend paränetischen Charakter hat. Wir bringen hier sein vollständiges Strukturschema (58 f.):

I. Die Überlegenheit des christlichen Glaubens (1, 1–10, 18)
  A. Gottes Offenbarung durch den Sohn (1, 1–4)
  B. Die Überlegenheit des Sohnes über die Engel (1, 5–2, 18)
    1. Christus ist höher in seiner Natur (1, 5–14)
    2. Eine Warnung vor dem Abfall (2, 1–4)
    3. Erniedrigung und Herrlichkeit Jesu (2, 5–9)
    4. Sein Werk zugunsten des Menschen (2, 10–18)
  C. Die Überlegenheit Jesu über Moses (3, 1–19)
    1. Moses der Diener und Jesus der Sohn (3, 1–6)
    2. Darstellung des Versagens des Gottesvolkes unter Moses (3, 7–19)

D. Die Überlegenheit Jesu über Josua (4, 1–13)
   1. Die größere Ruhe, die Josua nicht sichern konnte (4, 1–10)
   2. Die Dringlichkeit der Suche nach dieser Ruhe (4, 11–13)
E. Ein höherer Hohepriester (4, 14–9, 14)
   1. Unser großer Hohepriester (4, 14–16)
   2. Vergleich mit Aaron (5, 1–10)
   3. Eine Mahnrede als Zwischenspiel (5, 11–6, 20)
   4. Die Ordnung Melchisedeks (7, 1–18)
   5. Der Diener des neuen Bundes (8, 1–13)
   6. Die größere Herrlichkeit der neuen Ordnung (9, 1–14)
F. Der Mittler (9, 15–10, 18)
   1. Die Bedeutung seines Todes (9, 15–22)
   2. Sein Eintritt in ein himmlisches Heiligtum (9, 23–28)
   3. Seine Selbstdarbringung für andere (10, 1–18)
II. Ermahnungen (10, 19–13, 25)
A. Die gegenwärtige Stellung des Gläubigen (10, 19–39)
   1. Der neue und lebendige Weg (10, 19–25)
   2. Eine weitere Warnung (10, 26–31)
   3. Der Wert vergangener Erfahrung (10, 32–39)
B. Glaube (11, 1–40)
   1. Seine Natur (11, 1–3)
   2. Beispiele aus der Vergangenheit (11, 4–40)
C. Disziplin und ihre Wohltaten (12, 1–29)
   1. Die Notwendigkeit der Disziplin (12, 1–29)
   2. Die Vermeidung moralischer Unbeständigkeit (12, 12–17)
   3. Die Wohltaten des neuen Bundes (12, 18–29)
D. Abschließende Weisung (13, 1–25)
   1. Ermahnung das Gemeinschaftsleben betreffend (13, 1–3)
   2. Ermahnung das Privatleben betreffend (13, 4–6)
   3. Ermahnung das religiöse Leben betreffend (13, 7–9)
   4. Über den neuen Altar der Christen (13, 10–16)
   5. Schlußworte (13, 17–25)

Von der literarischen Struktur, die man dem Brief gibt oder in ihm erkennt, hängt nicht zum geringen Teil auch die inhaltliche Gewichtung ab. Immerhin gibt es Zäsuren, die sich nicht leicht übersehen lassen. So setzen alle drei zuletzt genannten Autoren (VANHOYE, BOURKE, GUTHRIE) einen größeren Einschnitt vor: 1, 5; 3, 1; 5, 11; 7, 1; 10, 19; 11, 1; 12, 1.

Zur Feststellung einer streng geometrischen Architektur des Hebr kommt LOUIS DUSSAUT in seiner erstaunlichen ›Synopse structurelle‹ (1981). Die Synopse, in sieben Kolumnen (2 + 3 + 2) mit vierzehn Sektionen eingeteilt, offenbart ein bis ins einzelne symmetrisch und konzentrisch durchstrukturiertes Textgemälde,

vom Verfasser als Ikone bezeichnet («Icône Xristique»), mit dem
Zentrum Χριστός (9, 11). Die imponierende Analyse bezeugt nach
DUSSAUT für den Auctor ad Hebraeos „die literarische Meister-
schaft und das artistische Raffinement eines geistesmächtigen Theologen und eines genialen Text-Architekten" (Synopse 163). Die
Vorstellung von einem bewußt planenden, konstruierenden Autor,
die VANHOYE (Discussions 352f.) noch zurückgewiesen hatte, ist
hier doch greifbar nahegerückt. Ist es historisch denkbar und reali-
stisch, daß der Verfasser des Hebr beim Entwurf seines Textes nach
Art eines bis ins Detail planenden Architekten oder Ikonenmalers
vorgegangen ist?

VII. Religions- und literaturgeschichtlicher Hintergrund

1. Altes Testament

Der Hebräerbrief übertrifft im Gebrauch des Alten Testaments
alle übrigen Schriften des neutestamentlichen Kanons, sowohl was
die wörtlichen Zitate als auch was die Reminiszenzen und Anspielungen betrifft. Eine maßgebliche Rolle in der Argumentation des
Verfassers spielt der Pentateuch, und hier vor allem die Beschreibung des israelitischen Kultus, die den Ausgangspunkt für die
Darstellung der Überlegenheit Jesu in seiner Doppelfunktion als
Hoherpriester und als Opfer gibt. Kaum weniger wichtig als Basis
für die theologische Argumentation sind die Psalmen. Auch die
großen und kleinen Propheten sind dem Auctor ad Hebraeos vertraut; unter den Prophetenzitaten sticht die Stelle über den neuen
Bund aus Jer 31 hervor.

Die Probleme, die das Verhältnis des Hebr zum Alten Testament
betreffen, lassen sich unter zwei Fragen subsumieren: 1. Welcher
Text lag dem Verfasser vor? 2. Welcher Art ist sein Verständnis
gegenüber den alttestamentlichen Schriften und den in ihnen berichteten Ereignissen?

a) Text

„In der Vergangenheit ist es üblich gewesen, einen Kommentar
oder eine Einführung zu dem Brief mit der Feststellung zu beginnen, der Verfasser benutze stets die Septuaginta-Übersetzung des
AT (manchmal in der Form des Codex Vaticanus, jedoch öfter in

der Form des Codex Alexandrinus) und er zeige nirgends Vertrautheit mit dem Hebräischen" (G. Howard, Hebrews 208). Da jedoch nicht wenige Zitate von beiden bekannten Hauptformen des
LXX-Textes (LXX^A: die im Codex Alexandrinus überlieferte,
LXX^B: die im Codex Vaticanus überlieferte Textgestalt) abweichen,
suchten die Kommentatoren hierfür verschiedene Erklärungen,
etwa die Zitation aus dem Gedächtnis, vom Autor beabsichtigte
Anpassung des zitierten Textes an seine Argumentation, Schreib-
fehler in dem Manuskript, das dem Autor vorlag (s. K. J. Thomas,
OT Citations 303, Anm. 2). Andere nahmen an, die Zitate seien aus
einer heute verlorenen griechischen Übersetzung des Alten Testaments (P. Padva, Citations 101) oder aus liturgischen Quellen
(H. V. Burch, Epistle 58 f.; Spicq I, 336; Käsemann, Gottesvolk
109; S. Kistemaker, Psalm Citations 58 f.) entnommen.

F. C. Synge beobachtete, daß die Zitate im Hebr anonym eingeführt werden und manchmal Zitate zweigeteilt und so angeführt
werden, als ob es sich um zwei verschiedene Stellen handelte: so
2, 13 die beiden aufeinanderfolgenden Sätze aus Is (8, 17. 18) mit der
Überleitung καὶ πάλιν, und ebenso 10, 30 aus Dtn (32, 35. 36). Das
veranlaßte Synge zu der Annahme, daß der Verfasser keine Ahnung
hatte, aus welchem Buch der Bibel seine Zitate stammten, da er sie
aus einer Textsammlung, einem Florilegium ("testimony book")
entnommen hatte, das vielleicht zu dem Zweck zusammengestellt
worden war, um Juden davon zu überzeugen, daß ihre heiligen
Schriften von Jesus Christus handelten (Hebrews 53 f.). Ein weite-
res Indiz hierfür wäre nach Synge, daß der ursprüngliche Kontext
der Zitate für den Verfasser offensichtlich überhaupt keine Rolle
spielt.

Um in der Frage des von dem Auctor ad Hebraeos benutzten alttestamentlichen Textes auf festeren Boden zu gelangen, hat Kenneth J. Thomas eine eingehende Untersuchung aller alttestamentlichen Zitate im Hebr unternommen. Er stellt fest, daß sechs Stellen
wörtlich mit einer der beiden Hauptformen des LXX-Textes
(LXX^A und LXX^B) übereinstimmen: Ps 2, 7 in 1, 5a; 2 Sam 7, 14 in
1, 5b; Ps 109, 1 in 1, 13; Is 8, 18 in 2, 13b; Ps 109, 4 in 5, 6; Gen
21, 12 in 11, 18 (OT Citations 303 u. ebd. Anm. 5). Im übrigen
finden sich in den 29 direkten Zitaten aus dem Alten Testament nur
insgesamt 56 Varianten von LXX^{A/B}. Nach der Einzelanalyse aller
Zitate kommt Thomas zu dem Schluß, daß die bisher vorgetragenen Hypothesen keine rundum befriedigende Lösung der Frage
bieten. Sie kommen allenfalls in einzelnen Fällen als Erklärung in-

frage: so findet die Vermutung, der Auctor ad Hebraeos sei vom LXX-Text abgewichen, um den hebräischen Urtext genauer wiederzugeben, nur einen Anhalt bei 12, 5f. und 13, 6; häufiger sind die beabsichtigten Änderungen des Verfassers, um im Zusammenhang seiner Argumentation bestimmte Gedanken zu verdeutlichen und zu akzentuieren (z. B. 2, 13a; 9, 20: THOMAS, o.c. 306. 313). Nach THOMAS bleiben aber dann noch 23 Varianten übrig, für die die Erklärung einer gezielten Interpretation im Sinne des Verfassers nicht zutrifft. Nach einem erneuten Vergleich der Varianten des Hebr mit LXX^A und LXX^B kommt THOMAS zu dem Ergebnis, daß dem Auctor ad Hebraeos der LXX-Text in einer älteren, ursprünglicheren Form vorlag, als ihn die oben genannten Versionen bieten: "Thus, there is overwhelming evidence that the author of Hebrews used a LXX text of a generally primitive nature" (OT Citations 324). Eine weitere Stütze für diese Hypothese ergibt sich aus der Tatsache, daß die Kirchenväter an 12 Stellen, in denen LXX^A und LXX^B voneinander abweichen, dem Text des Hebr folgen (mit der einzigen Ausnahme von Ps 101, 26, wo Hebr eine andere Wortfolge gibt). Im Hebr hat sich also eine ursprünglichere Form der LXX-Übersetzung erhalten, als sie in LXX$^{A/B}$ vorliegt. Für den LXX-Text ergibt sich nach THOMAS die Folgerung, daß LXX^A und LXX^B zwei verschiedene Überlieferungen einer einzigen ursprünglichen Übersetzung darstellen. Ihre jetzigen Unterschiede sind durch die Veränderungen zu erklären, die sich während des Prozesses der Editionen einstellten. Möglicherweise sind sie auf zwei verschiedene lokale Traditionen zurückzuführen. Der Verfasser des Hebr hatte dagegen den LXX-Text in einer älteren Form vorliegen, ohne die Varianten, die im Gefolge der späteren Editionen entstanden (OT Citations 324f.).

Nach Erstellung einer Statistik aller alttestamentlichen Zitate des Hebr und einem Vergleich sowohl mit dem Masoretischen Text als auch mit der LXX kommt GEORGE HOWARD (Hebrews) zu dem Ergebnis, daß insgesamt neun Stellen eine Abhängigkeit von einem hebräischen Text zeigen: 10, 30a (Dtn 32, 35); 12, 12 (Is 35, 3); 2, 13a (Is 8, 17; 12, 2; 2 Sam 22, 3); 12, 5f. (Prov 3, 11f.); 13, 5 (Jos 1, 5; Dtn 31, 6); 1, 6 (Dtn 32, 43; Ps 97, 7); 9, 20 (Ex 24, 8); 2, 12 (Ps 22, 23); 5, 6 (Ps 110, 4b). Bei diesen Zitaten, die weder mit der LXX noch mit dem masoretischen Text übereinstimmen, nimmt HOWARD den Einfluß einer hebräischen Textform an, die älter ist als der masoretische Text.

Die bislang letzte Studie zur Frage der alttestamentlichen Zitate im Hebr hat J. C. McCullough vorgelegt (NTS 26, 1980). Er beruft sich auf die unveröffentlichte Dissertation von E. Ahlborn (Göttingen 1966) und seine eigene (Belfast 1971), in denen das Thema ausführlich behandelt ist. McCullough geht es darum herauszuarbeiten, wo der Auctor ad Hebraeos mit Absicht den Text seiner LXX-Vorlage geändert hat und weshalb er diese Änderungen vornahm. Er unterzieht deshalb alle alttestamentlichen Zitate des Hebr einer genauen Prüfung, um festzustellen, welche Textformen bereits in einer Vorlage standen. Bei zahlreichen kleineren grammatischen und stilistischen Änderungen kann nicht festgestellt werden, ob sie der Vorlage oder dem Auctor ad Hebraeos zuzuschreiben sind. Es gibt allerdings einige Varianten, die mit Sicherheit auf den letzteren zurückgehen. Nach McCullough (o.c. 378) hat der Verfasser aus folgenden Gründen den Text der Vorlage geändert: 1. um das Zitat leichter in den Kontext des Briefes einzufügen (die Weglassung von Ἰσραήλ in Hebr 11, 21 und die Hinzufügung von μου in Hebr 10, 37f.); 2. um zu unterstreichen, was der Autor in dem betreffenden Zitat für wichtig hielt (der bestimmte Artikel in Hebr 1, 8f.; die Wortstellung am Anfang von 1, 10 und 2, 13; διό in Hebr 3, 9f.; der Name Gottes am Ende des Zitates 10, 5–7; die Hinzufügung des bestimmten Artikels in 10, 37f. und von οὐ μόνον in 12, 26); 3. um der Stelle eine eindeutige Interpretation zu geben (ὁ θεός in Hebr 9, 20). Diese Änderungen bedeuten für den Autor jedoch keine Änderungen des Sinnes der Stelle, und seine eigene Deutung hängt nicht von ihnen ab, mit anderen Worten: die auf den Verfasser zurückgehenden Änderungen haben keinen Einfluß auf seine Hermeneutik (McCullough, o.c. 378f.).

Die Frage, in welcher Gestalt die LXX-Übersetzung dem Auctor ad Hebraeos vorlag und ob er daneben etwa auch einen prämasoretischen Text der hebräischen Bibel heranzog, wird sich vielleicht erst definitiv lösen lassen, wenn die Textfunde aus Ägypten und der Wüste Juda in größerem Umfang als bisher hierfür ausgewertet sein werden. (Für eine Orientierung über die Vielfalt und Kompliziertheit der LXX-Überlieferung vor ihrer Fixierung in den großen Codices vgl. noch immer: Otto Eissfeldt, Einleitung in das AT, 957–971; ferner: S. Jellicoe, The Septuagint; zum Verhältnis der LXX zum hebräischen Original: Chaim Rabin, Translation Process.)

b) Hermeneutik

Der Verfasser des Hebr zitiert in einer Weise, aus der eindeutig hervorgeht, daß er den alttestamentlichen Text als unumstößliche Autorität betrachtet. Er nimmt an, daß das, was im Text steht, Gottes Wort ist, was sich bereits deutlich in den Zitaten des ersten Kapitels zeigt. Auch eine vergleichsweise vage Formulierung wie die 2, 6 (διεμαρτύρετο δέ πού τις λέγων), mit der das Zitat von Ps 8, 5–7 eingeführt wird, zeigt, daß der Autor seine Erörterung über Menschheit und Erniedrigung Jesu mit Belegen aus der Schrift absichern wollte, auch wenn er den ursprünglichen Kontext nicht angibt (GUTHRIE 39; vgl. auch HAGNER, Use 193 u. o. A.III).

Umgekehrt beansprucht der Verfasser aber auch, aufgrund der aus den Schrifttexten gewonnenen Erkenntnis, eine zutreffende Deutung der im Alten Testament bezeugten Absichten Gottes insgesamt, und insbesondere der Geschichte Israels und des israelitischen Kultus zu geben. Die in der Schrift berichteten Worte und Ereignisse bekommen ihren Sinn erst, wenn sie im Lichte dessen betrachtet werden, was Gott zuletzt durch seinen Sohn geoffenbart und gewirkt hat. Diese hermeneutische Grundhaltung ist exakt die gleiche, wie wir sie in den biblischen Kommentaren von Qumran finden. Nach dem Verständnis, das sich etwa im Habakuk-Kommentar (1QpHab) äußert, haben die Propheten die Geheimnisse *(rāzīm)* Gottes aufgeschrieben, während der „Lehrer der Gerechtigkeit" und seine Anhänger die rechte Deutung *(pesher)* dieser Offenbarungen geben können (BRUCE, Biblical Exegesis 8.66; über *pesher* als Bezeichnung für die Art der Interpretation und *pĕshārīm* für die Kommentare selbst s. ebd. 7; vgl. ferner: B. GÄRTNER, Habakuk Commentary 12f.; W. H. BROWNLEE, Biblical Interpretation 60ff.; F. SCHRÖGER, Verfasser 54f.).

Im aramäischen Teil des Buches Daniel, wo es um die Deutung der beiden Träume Nebukadnezars geht, begegnen die Begriffe *rāz* (LXX und Theodotion übersetzen: μυστήριον) und *pĕshar* (Dan 2, 30; 4, 9). Sowohl das Geheimnis, *rāz*, wie seine Deutung, *pĕshar*, wird von Gott geoffenbart. Wie BRUCE darlegt, liegt dieses hermeneutische Prinzip auch den Kommentaren von Qumran zugrunde (o.c. 8f. mit Beispiel 1QpHab 7, 1–5). Die von Gott dem Propheten geoffenbarten Geheimnisse werden erst entschlüsselt, wenn der von Gott hierzu berufene Ausleger auftritt. Im Verständnis der Exegeten von Qumran ist es der „Lehrer der Gerechtigkeit". „Das Gefühl, am Ende der Tage zu leben, die Beschränkung, die in der

Anwendung biblischer Texte auf Gestalten, Institutionen und Umstände der Gemeinschaft liegt, darf man nicht außer acht lassen. Es ist dieses eschatologische Element, das die pesharim in nächste Nähe zur biblischen Interpretation im NT bringt" (M. P. MILLER, Targum 51; vgl. K. ELLIGER, Studien 150).

Ganz ähnlich wird nicht nur im Hebr, sondern auch in anderen Schriften des Neuen Testaments vom „Ende der Zeiten" oder von der „letzten Zeit" her die Schrift gedeutet, z. B. 1 Kor 10, 11; 1 Petr 1, 5. 9–12 (BRUCE, Biblical Exegesis 66). Es ist nicht unwahrscheinlich, daß diese Deutungsweise auf Jesus selbst zurückgeht (vgl. Mk 4, 11 f.; Lk 4, 21; 24, 44; BRUCE, o.c. 67 f.).

Wie BRUCE am Beispiel der Auslegung der beiden ersten Kapitel des Buches Habakuk durch den Kommentator von Qumran gezeigt hat, war es im Rahmen dieser Exegese üblich, Sätze aus ihrem Kontext herauszunehmen und ihnen eine aktuelle Deutung im Sinne der Qumran-Gemeinde und ihrer Geschichte zu geben ("atomizing exegesis"). Der Exeget „behandelt den Text wie jemand, der ein Mosaik auseinandernimmt und die Steinchen neu zusammensetzt. Er ist überzeugt, daß das neue Bild Form und Gestalt des alten noch besser herausbringt" (ELLIGER, Studien 149). Diese Deutung hat dann allerdings mit dem ursprünglich vom Propheten Gemeinten so gut wie nichts mehr zu tun (BRUCE, o.c. 11 f.). Im Dienst der gezielten Auslegung steht auch die Bevorzugung bestimmter Lesarten des hebräischen Bibeltexts vor anderen (ebd. 12 ff.). Die beiden zuletzt genannten exegetischen Kunstgriffe sind auch dem Verfasser des Hebr durchaus vertraut.

FRIEDRICH SCHRÖGER (Verfasser 269–287) hat neben der qumranischen Schriftauslegung als Hintergrund für die Hermeneutik des Hebr noch auf die rabbinische und die hellenistisch-synagogale Schriftauslegung aufmerksam gemacht. Das Hauptmerkmal der ersteren ist der Glaube an die wörtliche Inspiration und göttliche Heiligkeit des Textes – ein Glaube, den der Auctor ad Hebraeos zweifellos teilt. Was die hellenistisch-synagogale Schriftauslegung betrifft, so ist es sehr schwierig, Parallelen zu der des Hebr oder gar eine Abhängigkeit aufzuzeigen. Diesbezügliche Versuche beruhen auf mehr oder minder vagen Vermutungen (SCHRÖGER, o.c. 283).

Zur theologischen Deutung des Alten Testaments durch den Hebr s. u. Abschnitt B.II.

2. Antikes Judentum

a) Qumran

Damit sind wir bei der Frage angelangt, inwieweit überhaupt die Texte vom Toten Meer etwas zum Verständnis des Hebräerbriefes beitragen können. HERBERT BRAUN konnte noch 1964 in seinem Forschungsbericht ›Qumran und das Neue Testament‹ den Abschnitt über den Hebräerbrief nach ausführlicher Kritik gegenteiliger Ansichten mit der zusammenfassenden Bemerkung schließen: „Berücksichtigt man die Analysen der Einzeltexte des Hebräerbriefs, so wird man F. M. BRAUN, GRAYSTONE, BURROWS, DANIÉLOU, SCHUBERT, CULLMANN und SPICQ nicht zustimmen können, wenn sie eine enge Verbindung des Hebräerbriefs zu Qumran behaupten. SCHMITT, mit Ausnahme von Sacerdoce 260, scheint mir zutreffender zu urteilen, wenn er den Hebräerbrief für qumranfern hält. Damit entfällt auch die Meinung derjenigen Verfasser, die unter den Empfängern des Hebräerbriefs essenische Christen oder Priester vermuten, als unbegründet" (ThR 30, 38; für die Arbeiten der von BRAUN genannten Autoren s. Literaturverzeichnis).

Auch ERICH GRÄSSER kommt in seinem im gleichen Jahrgang der ›Theologischen Rundschau‹ veröffentlichten Bericht über 25 Jahre Hebräerbrief-Forschung (1938–1963) bezüglich einer direkten Beziehung des Hebr zu Qumran zu einer Fehlanzeige: „Der Versuch, die Eigenart des theologischen Entwurfes im Hebr aus einer Akkomodation an ein heterodoxes, d. h. qumranitisches Judentum zu erklären, muß als gescheitert gelten. Auch eine direkte Abhängigkeit des Hebr von den Qumrantexten scheint sicher ausgeschlossen, da beide sich in verschiedener Ausrichtung bewegen" (ThR 30, 176). GRÄSSERS Kritik richtet sich, neben anderen, besonders gegen Y. YADIN (Dead Sea Scrolls) und H. KOSMALA (Hebräer – Essener – Christen), die beide voreilige Schlüsse, das Verhältnis des Hebr zu qumranisch-essenischen Kreisen betreffend, gezogen hatten, YADIN, indem er annahm, der Hebr sei an christlich gewordene, ehemalige Mitglieder der Gemeinde von Qumran gerichtet, KOSMALA, indem er in den Adressaten des Hebr essenische oder den Essenern nahestehende Kreise sah, die erst noch für das Christentum gewonnen werden sollten. (KOSMALAS These wird allein schon durch Hebr 3, 1 widerlegt, wo die Empfänger als κλήσεως ἐπουρανίου μέτοχοι – „Teilhaber der himmlischen Berufung" – angesprochen werden, die „auf den Apostel und Hohenpriester unseres Bekennt-

nisses, Jesus" schauen sollen.) GRÄSSER betont dagegen den Wert
der Erforschung der Qumran-Dokumente für den Hebr hinsichtlich der Kenntnis von beiden gemeinsam vorgegebenen Traditionen.

Von großer Bedeutung für die Erhellung solcher für den Hebr
und Qumran gemeinsamer Vorstellungen war ohne Zweifel die
Publikation der in Höhle 11 gefundenen Melchisedek-Rolle
(11QMelch). Der stark verstümmelte Text wurde mit deutscher
Übersetzung und Kommentar publiziert von A. S. VAN DER
WOUDE (Melchisedek: Oudtestamentische Studiën 14, 1965; foto-
grafische Reproduktion der Fragmente ebd. bei S. 356/357), sodann
mit englischer Übersetzung von M. DE JONGE und A. S. VAN DER
WOUDE (11Q Melchizedek: NTS 12, 1965/66), schließlich mit englischer Übersetzung und Kommentar von JOSEPH A. FITZMYER
(Further Light: JBL 86, 1967). Nach der Darlegung von DE JONGE
und VAN DER WOUDE kann das Fragment vor allem beitragen zum
Verständnis der beiden ersten und des siebenten Kapitels des Hebr;
ihr Ergebnis für Hebr 1 und 2: „Der große Nachdruck, der auf die
Überlegenheit des Sohnes über alle Engel gelegt wird, und das Ver-
meiden der Bezeichnung 'Götter' und 'Söhne Gottes', die entscheidende Rolle, die Leiden und Tod Jesu in seiner 'Qualifikation' für
das hohepriesterliche Amt spielen, werden verständlich auf dem
Hintergrund einer Engelskrieg-Soteriologie, wie wir sie in
11QMelch finden. Doch setzen weder die bisher schon bemerkten
Berührungspunkte zwischen dem Hebr und dem qumranischen
Schrifttum noch das neue Material in 11QMelch uns in die Lage, mit
Sicherheit festzustellen, der Hebr sei gegen Anhänger der Qum-
ran-Sekte gerichtet; wir sollten, mit mehr Vorsicht, sagen, daß
11QMelch uns hilft, bestimmte Vorstellungen im Judentum des ersten Jahrhunderts n. Chr. zu verstehen, welche den Hintergrund
bilden, auf dem die Argumentation von Hebr 1–2 verstanden werden kann. Nebenbei bemerkt setzt der Hebr keine Engelsverehrung
voraus wie der Kol" (11Q Melchizedek 317 ff.).

Bezüglich der Interpretation von Hebr 7 wenden sich DE JONGE
und VAN DER WOUDE gegen die Auffassung derjenigen Kommentatoren, die in dem ἀφωμοιωμένος Hebr 7, 3 eine Einschränkung
sehen, insofern als der Antitypus Melchisedek bewußt dem Typus
Jesus Christus angenähert sei (WESTCOTT, RIGGENBACH, SPICQ,
GROSHEIDE, FITZMYER; ähnlich auch KUSS 55); der Verfasser des
Hebr ist nach dieser Meinung nicht an Melchisedek als Person interessiert und will auch über ihn nichts aussagen, sondern er findet in

der alttestamentlichen Darstellung des Melchisedek Einzelzüge,
welche ihn als Vorbild Christi erscheinen lassen. Ähnlich argumentiert auch F. L. HORTON (Melchizedek Tradition 163 f.): Der Auctor ad Hebraeos hat geringes Interesse für Melchisedek an sich. Jede
Vorstellung von Melchisedek als göttlichem, engelhaftem oder
himmlischem Wesen würde sein Denkschema zerstören, für das der
Gegensatz Irdisch–Himmlisch entscheidend ist. Das Priestertum
Melchisedeks ist der irdische Antitypus eines anderen, des der
himmlischen Ordnung angehörenden Priestertums Christi.

Demgegenüber halten es DE JONGE und VAN DER WOUDE für
wahrscheinlicher, daß der Auctor ad Hebraeos dem Melchisedek
tatsächlich ewiges Leben usw. zuschreibt. „Es scheint eher einleuchtend anzunehmen, daß der Verfasser wirklich meinte, was er
schrieb. Im Licht von 11QMelch ist die plausibelste Folgerung die,
daß er Melchisedek als einen (Erz-)Engel ansah, der Abraham in der
Vorzeit erschienen war. Das ἀφωμοιωμένος δὲ τῷ υἱῷ τοῦ θεοῦ
enthält keine Einschränkung zu der Beschreibung, die die Schrift
gibt, sondern sucht die Unterordnung des (Erz-)Engels Melchisedek unter den präexistenten, himmlischen Gottessohn zu betonen.
Das δέ sollte so übersetzt werden, daß es seine volle antithetische
Kraft behält. Mag man Melchisedek viele bedeutende Attribute geben; sein Priestertum ist höher als das des Levi und bleibt auf ewig.
Aber Melchisedek selbst ist nur 'eine Kopie' des Gottessohnes, dessen absolute Überlegenheit über alle Engel in Hebr 1–2 festgestellt
wurde" (11Q Melchizedek 321). In der Tat tritt Melchisedek in
11QMelch als himmlische Erlösergestalt auf, der das gläubige Volk
Gottes beschützt und zugleich Führer der himmlischen Heerscha-
ren ist, Funktionen also, die sonst in den Schriftrollen vom Toten
Meer, aber auch in der Literatur des antiken Judentums und frühen
Christentums dem Erzengel Michael zugeschrieben werden. Eine
eindeutige Identifizierung von Michael und Melchisedek ist aller-
dings in den uns vorliegenden Qumran-Texten nicht nachweisbar.
Sie scheint erst in den christlichen gnostischen Schriften (s. u.
A.VII.3) und dann im mittelalterlichen Judentum vorgenommen
worden zu sein (DE JONGE – VAN DER WOUDE, o.c. 305; W. LUEKEN,
Michael 31; im Kommentar der Editio princeps war VAN DER
WOUDE noch für eine Identität Melchisedeks und des Erzengels
Michael eingetreten: Melchisedek 369 f.).

Im Gegensatz zu DE JONGE und VAN DER WOUDE sieht M. DEL-
COR (Melchizedek 126 f.) nach dem Bekanntwerden von 11QMelch
doch wieder eine größere Wahrscheinlichkeit für die von Y. YADIN

und C. Spicq vertretene These, die Adressaten des Hebr seien zum
Christentum bekehrte ehemalige Priester aus essenischen Kreisen.
Wenn Melchisedek in den Spekulationen der Qumran-Gemeinde
eine himmlische und eschatologische Rolle spielte, dann wäre es
ganz natürlich, wenn der Autor eines an Priester gerichteten Briefes
dieses Theologumenon als einen Angelpunkt seiner Argumentation
benutzt hätte (Delcor, Melchisedek 126).

Den hier referierten Erwägungen wäre jedoch der Boden entzo-
gen, wenn die Ansicht J. Carmignacs zuträfe, die er in seinem
scharfsinnigen Aufsatz ›Le document de Qumran sur Melkisédeq‹
entwickelt hat. Carmignac widerspricht entschieden der Übersetzung von 11QMelch 10a durch de Jonge–van der Woude und der
Deutung des Dokuments in bezug auf Melchisedek: Melchisedek
sei hier nicht als himmlisches oder engelhaftes Wesen betrachtet,
sondern als eine irdische Gestalt, deren Ankunft man erwartete; ob
sie eine Reproduktion des biblischen Melchisedek sei oder einfach
nur seinen Namen trage, sei nicht zu erkennen. In seinem wichtigen
Artikel über Melchisedek von der Genesis bis zu den Texten von
Qumran und dem Hebräerbrief hält M. Delcor nach Würdigung
aller Gesichtspunkte und Anführung zusätzlichen Materials doch
die Deutung van der Woudes für zutreffend (Melchizedek 133 ff.).
Die Vermutung, daß der Auctor ad Hebraeos über Melchisedek
ähnliche Vorstellungen hatte wie die Qumran-Essener hat durch die
Untersuchungen van der Woudes, de Jonges und Delcors an
Wahrscheinlichkeit gewonnen (s. auch u. B.III.3).

b) Philo von Alexandria

In seinem 1952 erschienenen Kommentar hatte C. Spicq ein um-
fangreiches Kapitel dem Thema ›Le Philonisme de l'Epître aux Hébreux‹ gewidmet (I, 39–91). Nach Prüfung der sprachlichen und
gedanklichen Ähnlichkeiten in den Werken Philos und im Hebr
meint er, aufs ganze gesehen, sich der Formulierung von E. Ménégoz anschließen zu können, nach der der Auctor ad Hebraeos « un
philonien converti au christianisme » sei (I, 91). Spicq hebt durchaus die Selbständigkeit des Hebr sowohl in der Gestaltung seines
Stils als auch in der Entwicklung seiner Gedanken hervor; das mindeste jedoch, was über die Beziehung beider Schriftsteller gesagt
werden müsse, sei, daß der Auctor ad Hebraeos eine profunde
Kenntnis der Werke Philos besessen habe. Er hält es weiterhin für

wahrscheinlich, daß der Verfasser Philo persönlich gekannt und vielleicht dessen Auslegung des Alten Testaments in den Synagogen von Alexandria mitgehört habe. Der schriftliche und mündliche Einfluß Philos habe dann Form und Inhalt der im Hebr verkündeten christlichen Botschaft beeinflußt (I, 89; s. auch Spicqs Aufsätze: Philonisme, RB 56 und 57, 1949–50, und: Alexandrinismes, RB 58, 1951).

Die Ergebnisse Spicqs fanden in den folgenden Jahren weitgehende Zustimmung, wenn auch gelegentlich an Einzeluntersuchungen Kritik geübt und auf fundamentale Unterschiede zwischen Philo und Hebr aufmerksam gemacht wurde (so von H. W. Montefiore, 8 f.). Nach partieller Kritik an Spicq kommt S. G. Sowers (Hermeneutics 66) zu dem Schluß, der Verfasser des Hebr komme aus der gleichen Schule des alexandrinischen Judentums wie Philo und dessen Werke böten das beste Material zur Erhellung des religionsgeschichtlichen Hintergrundes des Hebräerbriefs.

Ziel des monumentalen Werkes von Ronald Williamson: ›Philo and the Epistle to the Hebrews‹ (1970) ist es dagegen, die These Spicqs von der Abhängigkeit des Hebr von Philo in toto zu widerlegen. Der Untersuchung liegt die Überzeugung zugrunde, „daß Spicq sich fundamentale Irrtümer hat zuschulden kommen lassen in den Folgerungen, die er aus den von ihm so geschickt manipulierten Zeugnissen gezogen hat" (o.c. 8). In drei Teilen unterzieht Williamson das von Spicq behandelte Quellenmaterial und darüber hinaus eine Fülle möglicher Vergleichspunkte beider Autoren einer kritischen Prüfung: im ersten Teil geht es um den Vergleich der sprachlichen Elemente (Wortschatz und Satzbau vor allem); im zweiten Teil werden Themen und Ideen gegenübergestellt (u. a. der Rigorismus Philos und des Hebr, das sogenannte pädagogische Argument, wie es Hebr 5, 1 ff. ausgesprochen wird, Kapitel 11 und der Gesamtgegenstand des Glaubens); im dritten Teil geht es dann um den Schriftgebrauch, die Hermeneutik beider Autoren.

Das Ergebnis aller drei Argumentationsstränge bezüglich der Abhängigkeit des Hebr von Philo ist negativ (s. die Formulierung des Ergebnisses, Philo 493). Der Hauptvorwurf Williamsons gegenüber Spicq ist, daß dieser den rein etymologischen und sprachlichen Aspekt überbewertete, mit anderen Worten: Spicq übersieht die grundlegenden sachlichen Unterschiede in der Auffassung beider Autoren, aufgrund deren es methodisch unzulässig erscheint, aus Ähnlichkeiten im Vokabular und Sprachgebrauch auf eine direkte Abhängigkeit des einen vom anderen zu schließen (Philo 9).

Es zeigt sich hier, wie an anderen Stellen, das Grundanliegen der Untersuchung WILLIAMSONS: er möchte die tiefe sachliche Differenz betonen und herausarbeiten, die beide Autoren in ihrer weltanschaulichen und theologischen Grundhaltung bestimmt. Bei aller Ähnlichkeit im Vokabular sind die dahinterliegenden Gedanken und Vorstellungen total verschieden: Philo ist der von der platonischen Ideenwelt bestimmte Philosoph, während für den Auctor ad Hebraeos ein biblisch-eschatologisches Grundverständnis charakteristisch ist (o.c. 9. 135). Es geht WILLIAMSON also vor allem darum, zu widerlegen, daß der Auctor ad Hebraeos ein „Philonist" war. „Der Verfasser des Hebräerbriefes mag, wie SPICQ meint, ein Philonist gewesen sein, bevor er Christ wurde, aber zu der Zeit, als er seinen Brief schrieb, verblieben nur noch Spuren von Philonismus in seiner Auffassung" (o.c. 92). An dieser wie an anderen Stellen sieht man, daß es WILLIAMSON nicht so sehr darum geht, zu bestreiten, daß der Auctor ad Hebraeos eine Kenntnis des Werkes von Philo gehabt haben könne (vgl. auch o.c. 138/139). Signifikanter noch als die erwähnte Formulierung des Gesamtergebnisses auf S. 493 ist die letzte Anmerkung des Buches: „Niemand bestreitet, daß es einige Ähnlichkeiten im Ausdruck zwischen Philo und Hebräerbrief gibt, aber der Gang meiner Darlegung zeigt, meine ich, daß diese kein Beweis für ‘Philonismus’ sind. Die ‘Philonismen’ des Hebräerbriefes summieren sich nicht zu einem Beweis für den ‘Philonismus’ seines Verfassers" (o.c. 580, Anm. 1).

Es ist nicht zu verkennen, daß die Argumentation WILLIAMSONS, zum Teil wenigstens, an SPICQ vorbeigeht. SPICQ behauptet ja nicht einen „Philonismus" des Hebr im Sinne einer Identität der Ideen (91), sondern daß die Bildung, die der Verfasser durch den philonischen Einfluß erfahren hat, für sein Denken, auch nachdem er Christ geworden war, weiterhin bestimmend und auch für den Leser des Briefes spürbar bleibt: « l'homme demeure sous le chrétien ». Die Fragwürdigkeit der Methode WILLIAMSONS zeigt sich deutlich in seinen Ausführungen über das Theologumenon „Inkarnation", das ohne Zweifel im Gedankengang des Hebr eine zentrale Rolle spielt (o.c. 138). Man kann zwar nicht erwarten, so führt WILLIAM-SON aus, die christliche Lehre der Inkarnation im Werk Philos zu finden. Aber wenn in dem Denksystem Philos ein solches Geschehen total unmöglich und unvorstellbar ist, wie kann man dann, unter den Voraussetzungen SPICQS, die durchgehende Präsenz der

Inkarnations-Vorstellung im Hebr erklären? Der Hinweis darauf, daß der Verfasser eben Christ geworden war, als er den Brief schrieb, ist nach WILLIAMSON gleichbedeutend mit dem Eingeständnis, daß er, falls er ein ehemaliger Philonist war, die grundlegenden Vorstellungen seines früheren Lehrers so vollständig abgelegt hatte, daß man ihn eben nicht mehr als „Philonist" bezeichnen kann. Allein die Anwesenheit einer so fundamentalen Lehre wie der der Inkarnation im Hebr ist für WILLIAMSON schon ein wesentliches Beweiselement gegen die Auffassung SPICQS und anderer.

In dem kürzeren Kommentar zum Hebr, den SPICQ 25 Jahre nach seinem großen Kommentar im Jahre 1977 herausgebracht hat, zeigt er sich überhaupt nicht beeindruckt durch die Argumentation WILLIAMSONS. Er erwähnt dessen Buch lediglich in einer Anmerkung als « en sens contraire » (13, Anm. 3). Erneut betont er, daß es sich bei Philo und dem Hebr nicht um zufällige Parallelen handele, sondern den Einfluß eines Lehrers auf seinen Schüler, der sich im Vokabular, den rhetorischen Figuren, dem Stil, den Argumenten, den Vorlieben, vor allem aber in den Denkschemata und -linien zeige. Als besonders signifikante Beispiele führt SPICQ an: die theologische Auswertung des göttlichen Schwures (ὅρκος) bei beiden Autoren; das Eintreten (ἐντυγχάνειν, Hebr 7, 25), das als zentrale Funktion des Priestertums aufgefaßt wird; das Wort als Instrument der Scheidung (τομεύς, Quis rer. div. 130), symbolisch dargestellt im schneidenden Opfermesser (ebd. 136. 207; vgl. Hebr 4, 12); die Unterscheidung des sichtbaren und unsichtbaren Heiligtums; von denen dieses das Modell von jenem ist (das Zitat von Ex 25, 40 wird in analoger Weise in Hebr 8, 5 und Leg. All. III, 102 angeführt; s. auch THOMAS, Citations 309; der τύπος des Hebr ist der gleiche wie De opif. mundi 16); die Auswertung des Versöhnungstages, *Yom Kippur.* Vor allem aber zeigt das elfte Kapitel des Hebr in aller Deutlichkeit die Abhängigkeit von Philo, zunächst in seiner literarischen Struktur, die durch die Wiederholung des gleichen Begriffes charakterisiert ist: πίστει, κατὰ πίστιν, διὰ πίστεως, und der der Lobrede auf die Hoffnung in De praem. 11 entspricht. Die Beschreibung des Glaubens: ἔστιν δὲ πίστις (Hebr 11, 1) ist analog der in De migr. Abr. 179. Die rhetorische Figur der praeteritio: „Was soll ich sonst noch sagen? Die Zeit würde mir ja fehlen . . ." (Hebr 11, 32) ist bei Philo überaus geläufig (Vit. Mos. I, 213; Sacr. A. et C. 27; Spec. leg. IV, 238; Leg. G. 323). Die Reihe der Alten, die Hebr 11 als Beispiele für den rechten Lebenswandel angeführt sind, setzt dieselbe Geschichtsauffassung wie bei Philo voraus, nach der

die Geschichte der ethischen Unterweisung dienen soll (Abr. 4;
Virt. 195. 211. 219; Praem. 114; Spec. leg. IV, 182). Weitere wichtige Analogien ergeben sich beim Glaubensbegriff selbst, der bei
beiden Autoren durch Festigkeit und Sicherheit bestimmt wird (βέ-
βαιος: Spec. leg. I, 242; III, 144; IV, 50; Somn. I, 12; Abr. 268;
Migr. Abr. 44; Fug. 150. 154; Mut. nom. 182; Praem. 30; Virt.
216), und vor allem bei dem doppelten Objekt des Glaubens: daß
Gott existiert und diejenigen, die ihn suchen, belohnt (Hebr 11, 6;
Vit. Mos. II, 99; Fug. 95f.; Somn. I, 163; Plant. 86; Spec. leg. I,
307; Leg. G. 6–7).

Die Auseinandersetzung WILLIAMSONS mit SPICQ zeigt, wie
Wissenschaftler aufgrund vorgefaßter Meinungen über das Ziel hin-
ausschießen können. Bei SPICQ war es sicher die Vorstellung, daß
Apollos von Alexandria der Verfasser sei, die ihn „Alexandrinismen"
in vielen Stellen des Hebr erkennen ließ und ihn veranlaßte, aus Philo
Belege heranzuziehen, die nicht selten schwache oder gar keine Beweise für seine Folgerungen sind. WILLIAMSON seinerseits überbe-
wertet solche Lapsus und erkennt nicht die grundsätzlich richtige
Einsicht SPICQS. Ihn leitet das Bestreben, „Philosophisches" und
„Biblisch-Eschatologisches" säuberlich zu trennen. Diese Besorg-
nis hat auf die Bewertung Philos öfter abgefärbt, wohl auch bei
E. GRÄSSER, in dessen schon mehrfach erwähntem Forschungsbericht über den Hebr Philo unter „Beziehungen zum Heidentum"
eingeordnet ist (ThR 30, 1964, 177).

c) Antikes Judentum im allgemeinen

Im Jahre 1939 erschien ERNST KÄSEMANNS Buch ›Das wandernde
Gottesvolk‹, in dem die Frage nach dem religionsgeschichtlichen
Hintergrund des Hebräerbriefs von der Mythologie und Erlösungs-
lehre der Gnosis her beantwortet wird. KÄSEMANN steht damit in
der von R. BULTMANN zunächst mit zwei Aufsätzen zum Johannes-Evangelium begründeten Forschungsrichtung, nach der die
christologischen und soteriologischen Aussagen zahlreicher neutestamentlicher Texte, vor allem der paulinischen und deuteropauli-
nischen Literatur, von einem vorchristlichen gnostischen Ur-
mensch-Erlöser-Mythos her zu deuten seien (Der religionsgeschichtliche Hintergrund des Prologs zum Johannes-Evangelium,
in: ΕΥΧΑΡΙΣΤΗΡΙΟΝ, H. Gunkel zum 60. Geb., II, Göttingen
1923, 3–26; jetzt in: R. BULTMANN, Exegetica, Tübingen 1967,

10–35; Die Bedeutung der neuerschlossenen mandäischen und manichäischen Quellen für das Verständnis des Johannesevangeliums, ZNW 24, 1925, 100–146; jetzt in: Exegetica, 55–104). Das Buch KÄSEMANNS erlebte nach dem Zweiten Weltkrieg drei unveränderte Neuauflagen (1957. 1959. 1961), da der Verfasser nach Auskunft des Vorwortes zur zweiten Auflage sein Anliegen in der wissenschaftlichen Diskussion nur oberflächlich berücksichtigt fand und nicht den Anschein erwecken wollte, als habe er es auch selbst aufgegeben (Gottesvolk ²1957, 4).

KÄSEMANNS These hat in der Folgezeit sowohl Zustimmung als auch Ablehnung erfahren, ohne daß jedoch seine Ergebnisse erneut sorgfältig an den Quellen überprüft wurden. E. GRÄSSER übernimmt in seinem Buch ›Der Glaube im Hebräerbrief‹ (1965) uneingeschränkt KÄSEMANNS Sicht. Dem entspricht die Würdigung von KÄSEMANNS Werk in seinem Forschungsbericht von 1964, wo er es als einen Wendepunkt in der Geschichte der Erforschung und Auslegung des Hebr bezeichnet (Hebräerbrief 144): „Seine 1938" (vielmehr: 1939; GRÄSSER, HOFIUS und andere geben das Erscheinungsjahr der 1. Auflage von KÄSEMANNS Buch falsch an) „erschienene Monographie führte nicht nur zu zahlreichen klärenden Einsichten in bisher dunkle Stellen des Hebr, die nun aus gnostischen Spekulationen abgeleitet und interpretiert wurden, sondern vor allem auch zu einem eindrucksvollen Gesamtverständnis des Briefes: Hauptmotiv und tragende Basis, die alle einzelnen Teile trägt und sinnvoll gliedert, ist das Motiv vom 'wandernden Gotttesvolk'. Die Konzeption dieses Gesamtthemas wie insbesondere auch die Christologie des Hebr waren – das hat KÄSEMANN überzeugend nachgewiesen – nur auf einem von der Gnosis vorbereiteten Boden möglich."

KÄSEMANN selbst hatte sein Ergebnis bezüglich der für den Hebr zentralen Hohepriester-Lehre folgendermaßen zusammengefaßt: „1. Damit wäre dann festgestellt, daß Hebr direkt auf der im Spätjudentum fixierten Vorstellung vom Selbstopfer des himmlischen Urmensch-Hohenpriesters ruht, und die gesamte Hohepriesterlehre des Hebr einheitlich von dieser historischen Voraussetzung her einsichtig geworden. 2. Mag die Erwartung des messianischen Hohenpriesters in den Tagen der Hasmonäer erwachsen sein; erst als die jüdische Messias-Erwartung sich mit dem gnostischen Anthropos-Mythos verband, kommt es zur Vorstellung vom Urmensch-Hohenpriester, der, sich selber opfernd, die Sünden des Volkes sühnt" (Gottesvolk 140).

F. J. Schierse akzeptiert im ganzen die Sicht Käsemanns, den gnostischen Urmensch-Mythos als Grundlage für die Interpretation der Christologie des Hebr zu nehmen (der gleiche Mythos sei auch im Kol und Eph zu finden). Eine direkte Abhängigkeit von gnostischen Texten hält er jedoch für unwahrscheinlich, sieht vielmehr die Analogien in einem gemeinsamen Daseinsverständnis, einer Gemeinsamkeit der geistigen Grundhaltung begründet, die er als „antikosmischen eschatologischen Dualismus" charakterisiert (Verheißung 35; vgl. 80 ff.; 106). Das Christentum habe die gnostischen Anschauungen in sein eigenes Denksystem gewissermaßen herübergenommen und uminterpretiert. „Es liegt in der Konsequenz des christlichen Gedankens selbst, jede brauchbare Anschauung – welcher Herkunft sie auch sei – in die eigene eschatologische Bewegung hineinzuziehen und ihr dadurch einen neuen 'gnostischen' Gehalt zu geben" (o.c. 83; vgl. Schierses Art. ›Hebräerbrief‹, LThK² 5, 48).

In der Neuauflage seines Hebr-Kommentars von 1966 (12. im Krit.-exeg. Kommentar von H. A. W. Meyer, 6. von Michel bearbeitete) hat Otto Michel sich in einem eigenen Abschnitt der Einleitung mit Käsemanns Position kritisch auseinandergesetzt (Der theologische Wille des Hebräerbriefes: 58 ff.). Nach Michel steht der Hebr in einer christlichen Tradition, die starke Motive aus der jüdischen Apokalyptik aufgenommen hat. „Zum apokalyptischen Denken gehört eine bestimmte Struktur, die vom Heilsplan Gottes ausgehend, eine endzeitliche Neuschaffung von Himmel und Erde und eine entsprechende Ausbreitung der Gerechtigkeit Gottes voraussagt" (59). „Kennzeichen apokalyptischen Denkens ist das Stehen im Vorletzten, im Anbruch der Zukunft, im Wissen um die Vorläufigkeit der Gegenwart gegenüber der Unwandelbarkeit der Zukunft" (59, Anm. 1). In dem Gedanken der Einsetzung in die Sohnschaft und dem Hohepriestertum Christi sieht Michel über die Berührung mit der Apokalyptik hinaus Einflüsse der alexandrinisch-hellenistischen Tradition des Judentums, speziell der Weisheitslehre (Chokma-Tradition): so überträgt der Einsatz des christologischen Hymnus 1, 3 „die hellenistischen Würdeprädikate, die in der Sapientia und bei Philo auf die Sophia und den Logos bezogen waren, auf Christus" (61, Anm. 1). Dementsprechend distanziert sich Michel vorsichtig von dem Versuch Käsemanns (Gottesvolk 63. 85), „mit den Aussagen des Hebr eine gnostische Erlöserlehre zu verbinden" (61, Anm. 1). Im Zusammenhang der Erörterung der Frage des himmlischen Priesterdienstes (Hebr 8,

1–10, 18) spricht MICHEL aber dann doch von einer jüdischen apokalyptischen „Gnosis", die nichts zu tun habe mit der synkretisti-
schen vorchristlichen Gnosis (66 f.).

Hier setzt die Kritik an, die OTFRIED HOFIUS in seinem 1970 erschienenen Buch ›Katapausis‹ an MICHEL übt: mit dieser unscharfen
Verwendung des Begriffes „Gnosis" habe er nicht zur Klärung der
religionsgeschichtlichen Sachverhalte beigetragen. Aufs Ganze gesehen sei „die von ihm intendierte Unterscheidung eines vorgnosti-
schen apokalyptischen Denkens von der Gnosis selbst, die ihrerseits durch jenes beeinflußt worden ist und deshalb auch Parallelen
zu apokalyptischen Vorstellungen aufweist, nicht mit der erforder-
lichen Konsequenz und Eindeutigkeit durchgehalten" (o.c. 12).
HOFIUS seinerseits hat sich vorgenommen, die Auseinandersetzung
mit KÄSEMANN „in exegetischer und religionsgeschichtlicher Klein-
arbeit" zu führen und seine zentrale These zunächst an Hand des
Abschnittes Hebr 3, 7 bis 4, 13 zu überprüfen. Im einzelnen geht es
vor allem um eine genaue begriffs- und religionsgeschichtliche Untersuchung der Begriffe κατάπαυσις und σαββατισμός. Seine Untersuchungen zu dem Problemkreis „Hebräerbrief und Gnosis"
setzt HOFIUS dann mit der Arbeit ›Der Vorhang vor dem Thron
Gottes‹ fort, in der es um den Ursprung der Vorstellung von einem
himmlischen Vorhang (καταπέτασμα) geht, wie sie Hebr 6, 19 f.
und 10, 19 f. ausgesprochen ist. Die Arbeiten von HOFIUS können
in ihrer Bedeutung kaum überschätzt werden: für die Erforschung
des religionsgeschichtlichen Hintergrundes des Hebr sind sie die
erste entscheidende Wendemarke seit dem Erscheinen der Untersuchung von KÄSEMANN.

Wichtig für die Methode der Untersuchungen von HOFIUS sind
seine Vorbemerkungen zum „Gnostischen" und die von ihm gegebene Definition von „Gnosis": „Unter ‘Gnosis’ verstehen wir jene
religiöse und synkretistische Bewegung der Spätantike, die uns sowohl in ihren originalen literarischen Zeugnissen wie auch in den
Berichten gegnerischer Ketzerbestreiter entgegentritt und deren
mannigfaltige Systeme und Spekulationen einerseits in einem gemeinsamen antikosmisch-dualistischen Weltgefühl und Daseinsverständnis und andererseits in einem charakteristischen, diesem
Weltgefühl und Daseinsverständnis Ausdruck verleihenden remy-
thisierten oder mythologischen Welt- und Menschenbild ihre ver-
bindende Grundlage und einigende Mitte haben" (Katapausis 17).
HOFIUS geht es um eine Abgrenzung von dem durch HANS JONAS
ausgeformten allgemeinen Gnosis-Begriff, dessen Folgen für die

neutestamentliche Forschung er für verhängnisvoll hält. Von Gnosis sollte man dagegen nur da sprechen, wo auf der Basis der oben beschriebenen Daseinshaltung eine Theologie, Kosmologie, Anthropologie, Soteriologie umfassende Weltanschauung entwickelt wurde, für die die Geschichte Gottes und die in sie verwobene Geschichte des Menschen charakteristisch ist: der Mythos vom Fall der Welt und des Menschen und ihrer Rückkehr zur ursprünglichen Einheit. Mit dieser begrifflichen Umgrenzung ist ein Maßstab gewonnen, nach dem zu entscheiden ist, wann ein Text oder ein Gedanke als „gnostisch" anzusehen ist (o.c. 18f.). HOFIUS warnt insbesondere davor, Texte des antiken Judentums, etwa der rabbinischen Esoterik und der Hekhaloth-Schriften, einer sogenannten jüdischen Gnosis zuzurechnen. In der Sicht von HOFIUS ist die Gnosis das zeitlich spätere religionsgeschichtliche Phänomen; Literatur und Gedankengut des antiken Judentums (wie auch des Neuen Testaments) kommen für sie als Quellen in Betracht, nicht umgekehrt (o.c. 20f.).

Für die κατάπαυσις-Vorstellung weist HOFIUS in einer detaillierten literatur- und religionsgeschichtlichen Untersuchung, zu der auch die Auslegungsgeschichte von Ps 95, 11 innerhalb der jüdischen Exegese gehört, nach, daß sie nicht aus der Gnosis herzuleiten ist. Sie wurzelt vielmehr „im eschatologisch-apokalyptischen Denken des antiken Judentums, genauer gesagt: in jenem Bereich jüdischer Zukunftserwartung, für den der Glaube an die Existenz eines von Gott schon bereiteten und bei der Heilsvollendung sichtbar erscheinenden 'Ruheortes' der Seligen charakteristisch ist" (o.c. 91). Nach HOFIUS kommt hier den Parallelen und Berührungspunkten zwischen dem Hebr und dem 4. Esrabuch eine besondere Beweiskraft zu: in beiden Schriften haben wir es mit der gleichen eschatologisch-apokalyptischen Grundanschauung zu tun (o.c. 96).

Ähnlich geht HOFIUS bei der Untersuchung des Begriffes σαββατισμός vor. Bezüglich der fundamentalen These KÄSEMANNS ergibt sich am Ende, daß sie auf der falschen Voraussetzung beruht, die Perikope Hebr 3, 7–4, 13 liege der Vergleich der christlichen Gemeinde mit dem *wandernden* Gottesvolk des Alten Bundes zugrunde (o.c. 146). Der Auctor ad Hebraeos sieht aber die Gemeinde nicht als wanderndes, sondern als auf die Heilsvollendung wartendes Gottesvolk. Entsprechend heißt ἐπιζητεῖν (11, 14; 13, 14) nicht: „(durch Wanderschaft) zu erreichen suchen", sondern: „herbeiwünschen", „ersehnen", „sehnsüchtig erwarten" (o.c. 148). „Der Hebräerbrief kennt den Gedanken einer Wanderschaft zum

Himmel bzw. zu den im Himmel bereiteten Stätten nicht, sondern er teilt die apokalyptische Erwartung, daß die präexistenten Heilsorte am Tag der Endvollendung aus der Verborgenheit heraustreten werden" (o.c. 150). Hofius zweifelt am Ende seines Buches nicht daran, daß eine weitere Überprüfung der Konzeption Käsemanns für den gesamten Hebr bestätigen würde, was seine Einzeluntersuchung bezüglich der κατάπαυσις-Vorstellung erbracht hat: „daß die Interpretation des Hebräerbriefes aus gnostischen Traditionen als verfehlt angesehen werden muß" (o.c. 153). In seiner Habilitationsschrift ›Der Vorhang vor dem Thron Gottes‹ hat Hofius den entsprechenden Beweis für die Vorstellung von einem himmlischen Vorhang (καταπέτασμα: Hebr 6, 19f.; 10, 19f.) geführt.

Gleichzeitig mit Hofius hat Gerd Theissen über den religionsgeschichtlichen Hintergrund des Hebr gearbeitet. Seine 1969 erschienene Dissertation ›Untersuchungen zum Hebräerbrief‹ beschäftigt sich kritisch mit Einzelergebnissen der damals noch nicht veröffentlichten Arbeit von Hofius. Theissen steht ganz auf dem Boden der These Käsemanns, zu deren Stützung er Parallelen aus Philo einführt: Auch Philo setze sich, wie der Hebr, mit einer gnostischen Vorstellung von der ἀνάπαυσις ἐν θεῷ auseinander und interpretiere sie in seinem Sinne um als „sublimes Schaffen". Hebr 4, 10 wird dann nach Theissen die Aussage von Gen 2, 2, daß Gott von seinen Werken ruhte, auf den Menschen übertragen: Die zukünftige Erlösung des Menschen hat ihr Vorbild im präexistenten Zur-Ruhe-Kommen Gottes. Als Ergebnis formuliert Theissen: „daß die κατάπαυσις-Spekulation des Hebr von Traditionen abhängig ist, die gnostischen Charakter haben". Die These Käsemanns sieht er gestützt und bestätigt durch die Parallelen aus gnostischen Schriften, die Ph. Vielhauer in seinem Aufsatz ›᾿Ανάπαυσις‹ zusammengestellt und interpretiert hatte (Untersuchungen 128). Hofius hat sich in einem Nachtrag zu seinem Buch ›Katapausis‹ (248–259) eingehend mit der Argumentation Theissens befaßt. Er führt dort hauptsächlich den Nachweis, daß die im Hebr greifbare Vorstellung, „daß Menschen ihr eschatologisches Heil in Gottes Ruhestätte finden, in der auch sie selbst von ihren Werken ruhen, wie Gott dort von seinen Werken ruht", mit anderen Worten die Vorstellung von κατάπαυσις als einer lokalen Größe, einem himmlischen Ort, nicht zu Philo, sondern zu altjüdischen Anschauungen außerhalb Philos führt.

Die Auseinandersetzung mit der Gesamtdeutung Käsemanns spielt auch eine Rolle in der Untersuchung von Paul-Gerhard

MÜLLER, die den religionsgeschichtlichen und theologischen Hintergrund des an vier Stellen des Neuen Testaments (Apg 3, 15; 5, 31; Hebr 2, 10; 12, 2) begegnenden Christus-Titels ἀρχηγός zum Gegenstand hat (Christos Archegos, 1973). Die Stelle Hebr 2, 10 deutet MÜLLER folgendermaßen: „Dem Schöpfer und Herrn der Welt, Gott, ziemt es, viele Söhne in seine Doxa zu führen, weil Gott das Heil aller will. Nach vielen Versuchen im Alten Bund greift Gott 'jetzt' zu einem äußersten Mittel: er sendet den Sohn selbst in die Welt und vollendet ihn durch Leiden. Damit zeigt Gott seinen Söhnen einen ganz neuen Führer, der auf andere Art und Weise als die bisherigen Führer Israels das Volk ins Heil zu führen hat. Das Führertum des Sohnes ist Konsequenz des Kreuzes und der Auferwekkung aus den Toten (13, 20)" (o.c. 285f.). Nach KÄSEMANN, der das Partizip ἀγαγόντα fälschlich auf ἀρχηγόν bezieht, begleitet Christus die Seelen auf ihrer Himmelsreise wie der Seelenführer des gnostischen Mythos. „Als Führer hat der Himmelsmensch in seiner irdischen Erniedrigung viele Söhne zur himmlischen Doxa zu leiten begonnen. Indem er so ἀρχηγός der Seinen zur Vollendung ist, wird er gleichzeitig selber Objekt eines an ihm geschehenden τελειῶσαι Gottes" (Gottesvolk 89, Anm. 4). „Als Vollender wird er folglich selbst vollendet, und zwar beides in seiner Eigenschaft als Führer auf dem Weg zum Himmel. Beides läßt sich nämlich erst völlig dort aufklären, wo man den Mythos vom Urmenschen kennt, in welchem der Erlöser als Führer zum Himmel und der Seelenheimat zugleich selber die Heimat wiedererlangt und darum der 'erlöste Erlöser', Vollender und ebenso Vollendeter ist" (ebd. 90). Nach MÜLLER vollendet Gott seinen Sohn im Leiden. Dies ist Vorbedingung dafür, daß nunmehr der Sohn als Führer die Söhne Gottes zu ihrem Heil, in den Bereich der Doxa Gottes führen kann (Christos Archegos 286. 292).

Ebensowenig kann 2, 11a ἐξ ἑνὸς πάντες im Sinne der gnostischen συγγένεια-Lehre, als Abkunft aller aus dem himmlischen Uranthropos, verstanden werden (so KÄSEMANN, Gottesvolk 57. 90f., und im Anschluß an ihn GRÄSSER, Glaube 209. 216; SCHIERSE, Verheißung 105; THEISSEN, Untersuchungen 62. 122f.). Damit schließt sich MÜLLER für Hebr 2, 11a dem Ergebnis von HOFIUS für 3, 7–4, 13 an (o.c. 297, Anm. 39). Wie MICHEL (150) verweist er als sprachlichen Hintergrund für das christologische Anführerkerygma auf die „alttestamentlich-frühjüdische Eschatologie" (o.c. 301).

3. Gnosis

Das Thema „Hebräerbrief und Gnosis" ist keineswegs erledigt, wie man nach den oben referierten Untersuchungen annehmen könnte. Noch in seiner jüngsten Arbeit zur Auslegung des Hebr bemerkt E. GRÄSSER, daß von der Vorgabe einer ausgebildeten gnostischen Urmensch–Hohepriester-Spekulation im Sinne KÄSEMANNS zwar nicht mehr die Rede sein könne, dennoch aber die Wirksamkeit gnostischer Traditionen in Hebr 3, 7–4, 10; 5, 14; 10, 20 schwerlich zu bestreiten sei (Mose 7, Anm. 21). Er verweist dafür auf KURT RUDOLPHS Werk über die Gnosis, wo aber zu dem Thema lediglich ein Satz steht: „Auch im Hebräerbrief (um 80/90) scheinen gnostische Traditionen wirksam gewesen zu sein." Neben den von GRÄSSER genannten Stellen führt RUDOLPH noch Hebr 1, 5–2, 18 an, offensichtlich ohne Kenntnis der Arbeiten von HOFIUS, der auch von GRÄSSER nicht zitiert wird (RUDOLPH, Gnosis ²1980, 324).

Wenn auch die Interpretation des Hebräerbriefes aus gnostischem Gedankengut als gescheitert angesehen werden muß, so fällt doch von den in den letzten Jahren veröffentlichten gnostischen Schriften von Nag Hammadi neues Licht auf bestimmte, auch im Hebr greifbare Traditionen. Speziell kommt hierfür das von B. A. PEARSON 1981 edierte Melchisedek-Dokument in Frage (Nag Hammadi Codices IX and X; IX, 1: Melchizedek). Dieser Text wird vom Herausgeber auf Ende 2.–Anfang 3. Jahrhundert n. Chr. datiert (o.c. 40), und der Einfluß des Hebr ist deutlich erkennbar. Insofern könnte dieser Gegenstand auch im Zusammenhang mit der Auslegungs- und Wirkungsgeschichte des Hebr behandelt werden. Dennoch kann das Nag-Hammadi-Dokument auch zur Interpretation der Melchisedek-Vorstellung des Hebr einiges beitragen.

Wenn die teilweise Rekonstruktion des zerstörten koptischen Wortes ΠΙΝΕ (das Abbild = εἰκών) in Melch 15, 12 korrekt ist, dann haben wir hier die klare Feststellung einer Beziehung zwischen Melchisedek und Jesus Christus: Melchisedek wirkt auf der Erde als das Abbild oder „Alter Ego" des himmlischen Christus. Die Beziehung zu Hebr 7, 3 ist deutlich (Nag Hammadi 25). Im Unterschied zum Hebr ist Melchisedek dem Sohn Gottes jedoch nicht nur ähnlich (ἀφωμοιωμένος), sondern er ist mit ihm identisch. Melchisedek begegnet in dem koptischen Dokument als leidender, sterbender, auferstandener und triumphierender Erlöser (o.c. 28). Er zeigt sich in zwei Gestalten, oder besser: zwei historischen Manifestationen: einmal als alttestamentlicher Hoherpriester, der himmlische Offenbarungen über die eschatologische Zukunft empfängt; sodann als der eschatologische Priester-Erlöser, der mit Jesus Christus, dem Sohn Gottes, identifiziert wird (o.c. 30). Eine dritte Eigenschaft kommt hinzu: Melchisedek ist ein „heiliger Krieger" der Endzeit (o.c. 31).

Im Alten Testament ist Melchisedek lediglich „Priester des höchsten Gottes" (Gen 14, 18b: ἱερεὺς τοῦ θεοῦ τοῦ ὑψίστου, hebr.: *kohēn leēl eljōn*). Die Bezeichnung Melchisedeks als „Hoherpriester" hat der Nag-Hammadi-Text aus Hebr 5, 10; 6, 20, wo Jesus als Hoherpriester bezeichnet wird. Doch begegnet Melchisedek auch in Quellen des antiken Judentums bereits in hohepriesterlicher Funktion: Bei Philo ist er μέγας ἱερεύς (Abr. 235); in einigen Targumen wird er „Hoherpriester" genannt (LE DÉAUT, Titre).

Wie bereits erwähnt, hat Melchisedek in dem Nag-Hammadi-Text die Rolle eines „heiligen Kriegers" der Endzeit. Seine Gegner sind die Archonten und Engel. Der Ursprung dieses Gedankens ist in der jüdischen apokalyptischen Literatur zu suchen. Nach den ›Testamenten der zwölf Patriarchen‹ soll der messianische Priester gegen die dämonischen Mächte unter der Führung Beliars kämpfen (Test.Dan. 5, 10; Test.Levi 18, 12). Auch in der Melchisedek-Rolle von Qumran (11QMelch: s. o. A. VII. 2.a) wird Melchisedek als himmlische Erlöser-Gestalt erwartet, der an Belial und seinen untergeordneten Geistern Vergeltung üben wird, eine Aufgabe, die er speziell als Priester vollenden soll (vgl. auch 1QS 3, 18–4, 1; M. HENGEL, Judentum und Hellenismus ²1973, 395ff.; Y. YADIN, Scroll of the War 229–242; M. MANSOOR, Thanksgiving Hymns 77–84). Gerade in seiner Krieger-Funktion ist Melchisedek mit Christus identifiziert. Der Titel ἀρχιστρατηγός („Oberbefehlshaber", „princeps militiae caelestis") ist sonst ein Epitheton des Erzengels Michael (der in der apokalyptischen Literatur des antiken Judentums auch mit dem „Geist der Wahrheit" gleichgesetzt wird: HENGEL, o.c. 399. 422; O. BETZ, Paraklet 51ff.; 60–69; 113ff.). In einer judenchristlichen Engels-Christologie, wie sie etwa noch im ›Hirten des Hermas‹ greifbar ist (Herm.Sim. 8. 3. 3; 9. 12. 7–8) wird Christus, der Sohn Gottes, mit Michael identifiziert (Nag Hammadi 33).

Für den Hebräerbrief stellt sich die Frage, ob solche oder ähnliche Vorstellungen und Spekulationen schon der Apologie des Auctor ad Hebraeos zugrunde liegen, die mit einem so großen Nachdruck die Überlegenheit Christi über die Engel herausstellt.

Nach Nag Hammadi Cod. IX, 1 (4, 5; 14, 4) gipfelt die Karriere der Erlöser-Gestalt in der Überwindung der archontischen Mächte und in der endgültigen Vernichtung ihres Hauptes, des Todes (13, 9–14, 9; vgl. dazu im ›Testament Abrahams‹ die Gegenüberstellung des ἀρχιστρατηγός Michael und des Todesengels, der sonst in der talmudischen Literatur „Samael" genannt wird). Der eschatologische Kampf Melchisedeks schließt Kreuzigung und Auferstehung Jesu ein: Melchisedek ist identisch mit Jesus Christus, dem Sohn Gottes (Nag Hammadi 34).

Infolge der Überlagerung verschiedener Traditionselemente ist eine Analyse des gnostischen Melch-Textes sehr kompliziert. Die Bestandteile aus der jüdisch-apokalyptischen Tradition sind entscheidend, doch handelt es sich um einen christlichen Text, der sogar eine orthodoxe, antidoketische Christologie enthält. Der Herausgeber PEARSON charakterisiert ihn als „ein judenchristliches Produkt, das eine ursprünglich vorchristliche Melchisedek-Spekulation enthält, die von einer christlichen christologischen Neuinterpretation überlagert wird" (o.c. 34). Der Melch-Text von Nag Hammadi ist entweder in der sethianischen gnostischen Sekte (so H.-M. SCHENKE, Sethian System; Phenomenon; A. BÖHLIG, Jüd. u. judenchristl. Hintergrund) oder innerhalb einer Sekte, die sich selbst „Melchisedekianer" nannte und von der auch Epiphanius (Haer. 55) berichtet (so PEARSON in seiner Einleitung zur Edition, 38f.), entstanden. Die gnostische Exegese des Hebr hat E. H. PAGELS (Gnostic Paul 141–156) behandelt.

Welche Vorstellung der Auctor ad Hebraeos immer von dem Melchisedek des Alten Testaments gehabt hat: der Hebr gehört, entgegen der Feststellung von F. L. HORTON (Melchisedek Tradition 164: "I conclude that the Epistle to the Hebrews should not be reckoned with the literature in which Melchizedek is considered a divine or heavenly figure"), in die Traditionsgeschichte der Melchisedek-Michael-Gestalt, die untergründig im antiken Judentum und im Christentum bis weit in das Mittelalter hinein wirksam ist. Und dies dürfte nicht nur für die Wirkungsgeschichte des Hebr gelten, sondern für den Text selber. Denn das mindeste, was man mit einiger Sicherheit sagen kann, ist doch, daß der Verfasser Kenntnis außerbiblischer Melchisedek-Spekulationen hatte.

4. Neues Testament

Was die Beziehungen des Hebr zu den übrigen neutestamentlichen Schriften betrifft, so darf insgesamt auf GRÄSSERS Forschungsbericht von 1964 verwiesen werden. Schon damals konnte
der Autor feststellen, daß der Hebr im Laufe der Auslegungsgeschichte mit fast allen neutestamentlichen Schriften verglichen
wurde und dabei auch mehr oder weniger überzeugende Parallelen
aufgespürt wurden (GRÄSSER, Hebräerbrief 195). Eine direkte Abhängigkeit hat sich nirgends nachweisen lassen. Die ausführlichsten
Text- und Sachvergleiche mit den übrigen Schriften des Neuen Testaments finden sich immer noch in dem Kommentar von SPICQ
(Synopt. Evangelien: ebd. I, 92–109; Joh: 109–138; 1 Petr:
139–144; Paulinen: 144–168), dessen Folgerungen aus dem jeweiligen Befund allerdings oft zu weitgehend und nicht überzeugend
sind.

a) Corpus Paulinum

T. W. MANSON fand seinerzeit im Hebr ähnliche Gedanken und
Ausdrücke wie im Rom und den beiden Kor (Problem). Er nahm
deshalb an, das paulinische Gedankengut sei dem Auctor ad Hebraeos vertraut gewesen; der Brief sei an die Gemeinden des Lykos-
Tales (Kolossae und Laodicea) adressiert und richte sich gegen die
gleiche Häresie, mit der auch der Kolosserbrief zu tun habe (o.c.
13). Dieser wie alle anderen Versuche, das Verhältnis zu den Paulusbriefen näher zu bestimmen, sind bloße Vermutungen, die sich zu
keinerlei Wahrscheinlichkeit verdichten.
  Einen Vergleich des Wortschatzes und der wichtigsten Themen
des Hebr und des Eph hat A. VANHOYE angestellt (Bibl 59, 1978).
Er stellt zwar eine gewisse Verwandtschaft im Gedankengut beider
Briefe fest, findet aber keinerlei Anhaltspunkt für eine literarische
Abhängigkeit (vgl. auch die Zusammenstellung der Verbindungs-
linien von Hebr und Eph bei G. SCHILLE, Basis 278f.).
  Die wichtigsten der tatsächlichen sachlichen Parallelen zwischen
dem Hebr und den Paulinen hat D. GUTHRIE in seinem Kommentar
(43ff.) zusammengestellt. Zweifellos gibt es eine gewisse Ähnlichkeit der christologischen Gedanken von Kol 1, 15–17 und Hebr 1,
auf die schon H. WINDISCH in seinem Kommentar (128) hingewiesen hatte: in beiden Briefen ist die Rede von der Präexistenz Christi
und seinem Anteil an der Schöpfung. Für Paulus ist Christus das

Bild (εἰκών) Gottes (2 Kor 4, 4), für den Auctor ad Hebraeos der Abglanz (ἀπαύγασμα) der Herrlichkeit Gottes (Hebr 1, 3). In Phil 2, 7 und Hebr 2, 14–17 ist die Erniedrigung Christi ausgesprochen. Die Kombination von Erniedrigung und Erhöhung zeigt, daß Paulus und Hebr das gleiche christologische Grundverständnis haben. „Unser Autor sucht nicht, ebensowenig wie Paulus, das Paradox zu erklären; aber es gibt keinen Zweifel, daß für beide die göttliche und menschliche Seite der Natur Christi eine grundlegende Überzeugung war" (GUTHRIE 44). Beiden Autoren gemeinsam ist ferner die Idee des Gehorsams Christi, der für die anderen Menschen Ursache des Heils wird (Röm 5, 19; Phil 2, 8; Hebr 5, 8). Paulus kennt nicht die Vorstellung von Christus als Hohempriester, jedoch sieht er wie der Hebr Christi Werk als Opfer an (1 Kor 5, 7; Hebr 9, 28; vgl. Eph 5, 2; vgl. auch Röm 8, 34: der zur Rechten Gottes erhöhte Christus tritt für uns ein: ἐντυγχάνει ὑπὲρ ἡμῶν, mit Hebr 7, 25); es handelt sich hier um eine im frühen Christentum durchgängige Vorstellung. Die Überlegenheit des neuen Bundes über den alten wird 2 Kor 3, 9ff. und Hebr 8, 6ff. ausgesprochen, jedoch setzt sich der Hebr wohl noch radikaler vom Alten ab als Paulus (vgl. Hebr 7, 18; 8, 13). Der Gestalt Abrahams kommt im Hebr und bei Paulus eine zentrale Bedeutung zu (Hebr 2, 16; 6, 13; 7, 1–10; Röm 4, 1ff.; 9, 7; 11, 1; 2 Kor 11, 22; Gal 3, 6ff.; 4, 22). Allerdings hat sie bei beiden jeweils einen ganz anderen theologischen Stellenwert. Drei wichtige Zitationen alttestamentlicher Stellen sind beiden gemeinsam: Ps 8 (Hebr 2, 6–9; 1 Kor 15, 27); Dtn 32, 35 Hebr 10, 30; Röm 12, 19); Hab 2, 4 (Hebr 10, 38; Röm 1, 17; Gal 3, 11).

Alle diese Parallelen und Ähnlichkeiten können jedoch keinerlei Abhängigkeit des Hebr von Paulus begründen. Die Theologie des Hebr kann nicht als Weiterentwicklung des Paulinismus verstanden werden. Beide Autoren bieten eigenständige Ausprägungen der in ihren Grundlinien gemeinsamen frühchristlichen Theologie (GUTHRIE 45; ähnlich LINDEMANN, Paulus 235ff. 239f.).

Gemeinsamkeit und Differenz des Paulus und des Auctor ad Hebraeos werden vielleicht am deutlichsten sichtbar in ihrer Stellung zum Alten Testament: Gemeinsam ist ihnen die Tatsache eines aus dem Alten Testament selbst genommenen zentralen Punktes, von dem aus sie das Zentrum alttestamentlich-jüdischer Religion, das Gesetz, aus den Angeln heben; für Paulus ist dies die Verheißung an Abraham, die dem Gesetz vorausgeht (Gal 3, 16ff.; Röm 4); für den Hebr ist es die Gestalt Melchisedeks, sein Segen und der Empfang des Zehnten, durch die der levitische Kult in seiner Effektivität für das Heil, die Vollendung (τελείωσις) in Frage gestellt wird (Hebr 7).

b) Übrige Schriften des Neuen Testaments

Die wichtigste sachliche Gemeinsamkeit des Hebr mit den johanneischen Schriften ist vielleicht die Vorstellung von Christus als dem für sein Volk Eintretenden (Joh 17, 9; 1 Joh 2, 1 f.; Hebr 7, 25). Eine Abhängigkeit ist jedoch nicht nachweisbar (s. die Aufstellung der Parallelen bei Spicq I, 109–138). Die Frage des gemeinsamen Hintergrundes von Hebr und Joh hat neuerdings wieder C. J. A. Hickling aufgeworfen (John and Hebrews). Nach seiner Meinung wurden die Elemente einer Lehre über das Verhältnis Gottes zu Jesus und zu den Menschen bereits früh auf einem hohen Reflexionsniveau weitergegeben. Der Autor des Hebr war bei aller Originalität seiner Exegese und seiner Christologie der christlichen Tradition verpflichtet (o.c. 114f.).

W. Manson (Epistle 184 f.) stellte Ähnlichkeiten bestimmter Gedanken des Hebr mit solchen der Stephanus-Rede Apg. 7 fest. Er weist hin auf die Berufung Abrahams, die Vorstellung von einem nicht mit Händen gemachten Tempel, die Deutung der Geschichte Israels.

Auf die besondere Nähe des ersten Petrusbriefs zum Hebr hat mit ausführlicher Behandlung der Parallelen zuletzt E. Grässer hingewiesen (Hebräerbrief 195 ff.). Aufgrund dieser Nähe hatte noch E. G. Selwyn (First Epistle of Peter, 1947) angenommen, beide Briefe hätten denselben Verfasser, nämlich Silvanus (vgl. auch die Liste der Parallelen bei Spicq I, 142 f.). „Es ließe sich leicht zeigen, daß solche theologisch sachlichen Übereinstimmungen unsern Brief nicht nur mit dem 1 Ptr verbinden, sondern mit dem ganzen späteren nt'l. Schrifttum bis hin zu den Apostolischen Vätern" (Grässer, o.c. 196f.; die Einordnung des Hebr „auf der Schwelle vom ausgehenden Urchristentum zum beginnenden Frühkatholizismus", ebd. 197, Anm. 1, kann allerdings mit guten Gründen bezweifelt werden; vgl. dazu auch u. B. VII).

VIII. Auslegungsgeschichte

Die Erforschung der Auslegungsgeschichte des Hebräerbriefes ist über einige gute Ansätze noch nicht hinausgekommen. Der

Kommentar von O. Michel enthält eine Übersicht über die Geschichte der Auslegung (⁶1966, 84–91), in der allerdings bezeichnenderweise das Mittelalter total ausgespart bleibt. Am Ende dieses Abschnittes weist Michel auf die Wirkungsgeschichte des Hebr in den Glaubenszeugnissen der Gemeinde hin: „Scheint es dem Exegeten so, als wäre die Geltung des Hebr umstritten, schwankend und zweifelhaft, so bezeugt das Gesangbuch, daß er in Wirklichkeit in jedem Jahrhundert seit der Reformation nicht nur bei Theologen, sondern auch in den Ständen unseres Volkes bekannt und beliebt gewesen ist. Die Geschichte der exegetischen Wissenschaft ist eben nicht mit der Geschichte des Glaubens zu verwechseln. Eine Fülle von Motiven ist aus dem Hebr in die Sprache und das Lied der Gemeinde übergegangen, so daß man manchmal annehmen muß, er habe in der Gemeinde eine größere Herrlichkeit entfaltet als in der theologischen Forschung" (o.c. 90).

Für das katholische Mittelalter sei nur darauf verwiesen, daß der Anfang des Hebr von alters her die Epistel der dritten Weihnachtsmesse war. Bekannt ist Luthers Auslegung in seiner Kirchenpostille von 1522, wo er zum erstenmal Apollos als möglichen Verfasser des Hebr nennt („Die Epistell der hohen messen am Christag auß Heb. primo": WA 10 I, 143).

Über den Gebrauch des Hebr in der patristischen Literatur der ersten drei Jahrhunderte informieren jetzt die Indices der ›Biblia Patristica‹. Band I (519–524) enthält die Hebr-Zitate des ersten und zweiten, Band II (435–438) die des dritten Jahrhunderts, ohne Origenes. Die Hebr-Auslegung des Origenes ist ausführlich behandelt in der überaus gründlichen und gediegenen Studie von Rowan A. Greer: ›The Captain of our Salvation‹ (1973; ebd. 7–64). Bei Origenes sind die beiden großen Strömungen, in die sich die Hebr-Exegese in der Folgezeit teilt, in etwa schon vorgebildet: seine Christologie scheint sich in die Richtung der Alexandrinischen Schule zu bewegen, während in der Betonung der vollen Menschheit Christi die Verbindung zu den Antiochenern angedeutet ist (Captain 63 f.). Greer behandelt weiterhin die Bedeutung des Hebr in den Auseinandersetzungen mit der Arianischen Häresie bei Athanasius und den Kappadokiern, sodann seine Auslegung in der Antiochenischen Schule, bei Eustatius und Diodor, Theodor von Mopsuestia, Chrysostomus und Theodoret, schließlich in der Kontroverse zwischen Cyrill von Alexandria und Nestorius. Es zeigen sich bemerkenswerte Unterschiede in der Hebr-Exegese der beiden großen patristischen Schulen, die im wesentlichen auf ihre verschiedenen christologischen Konzeptionen zurückzuführen sind. Besonders deutlich wird der Unterschied, wenn man die antiarianische Exegese des Athanasius mit der Theodors oder die Auslegungen von Cyrill und Nestorius miteinander vergleicht. Trotz gewisser Ähnlichkeiten mit den Antiochenern finden wir bei den Kappadokiern eine dritte exegetische Tradition. Es geht GREER darum, nachzuweisen, daß die patristische Exegese, trotz des tiefen Einflusses der jeweiligen theologischen Voraussetzungen, mehr ist als bloße „Eisegese". – Die Polemik Cyrills von Alexandrien gegen Theodor von Mopsuestia in einem Fragment seines Hebr-Kommentars ist Gegenstand eines kurzen Artikels von P. M. PARVIS (Journ. Theol. Stud. 26, 1975).

Obwohl es einige gute Untersuchungen zur mittelalterlichen Bibelauslegung im allgemeinen gibt, fehlen spezielle Studien zur Auslegungs- und Wirkungsgeschichte des Hebr über eineinhalb Jahrtausende hin fast vollständig. Wichtige literaturgeschichtliche Probleme lateinischer Kommentare des frühen und hohen Mittelalters hat E. RIGGENBACH in seiner bis heute nicht überholten Arbeit ›Die ältesten lateinischen Kommentare zum Hebräerbrief‹ (1907. ³1959) gelöst. Insbesondere ist ihm die Klärung der Autorfrage bei einigen Kommentaren geglückt (Alkuin, Claudius von Turin, Haimo von Auxerre; zu den frühmittelalterlichen Kommentaren s. auch A. SOUTER, Earliest Latin Commentaries, 1907). Immer noch erwähnenswert ist der Aufsatz von C. SPICQ aus dem Jahre 1947 über die Auslegung von Hebr 11, 1 durch Thomas von Aquin. Der Autor behandelt die vier Stellen (III Sent., dist. 23, q. 1, ar. 2; De ver. 14, ar. 2; Exp. in Ep. ad Hebr; II^a II^{ae}, q. 4, ar. 1), an denen Thomas die „Glaubensdefinition" Hebr 11, 1 kommentiert hat (vgl. auch den älteren Aufsatz von M. SCHUMPP, Glaubensbegriff). Den Hebr-Kommentar des Petrus de Tarantasia behandelt J.-M. VOSTÉ (Beatus Petrus).

Die wohl bedeutendste politische Auswirkung im Mittelalter und bislang überhaupt hatte der Hebr in seinem Beitrag zum Selbstverständnis des Papsttums: die Hohepriestertheologie des Hebr gewinnt seit der Spätantike zunehmend an Bedeutung für die theologische und rechtliche Begründung des päpstlichen Amtes als eines Priesterkönigtums. (Der *Verfasser* bereitet hierüber eine Untersuchung vor.)

Eine Auseinandersetzung, die Theologen und Humanisten Europas am Vorabend der Reformation beschäftigte, den Streit des Jacques Lefèvre d'Etaples (Jacobus Faber Stapulensis) mit Erasmus von Rotterdam über Text, Übersetzung, Interpretation und christologische Bedeutung von Hebr 2, 7 (Ps 8, 6): ἠλάττωσας αὐτὸν βραχύ τι παρ' ἀγγέλους, hat der Verfasser in einem Aufsatz behandelt (H. FELD, Humanisten-Streit). Der Aufsatz gibt eine Lösung der mit dem Streit zusammenhängenden literaturgeschichtlichen (Vordatierung der zweiten Auflage seines Kommentars über die Paulusbriefe durch Faber Stapulensis) und auslegungsgeschichtlichen Fragen (Einfluß auf Luther).

Luthers Auslegung des Hebräerbriefes in den bedeutsamen Jahren 1517–1518 auf dem Hintergrund der Exegese vor ihm wird in der Studie von J. P. BOENDERMAKER: ›Luthers Commentaar op de Brief aan de Hebreeën‹ (1965) erörtert. Zum Vergleich zieht BOENDERMAKER von den patristischen Kommentaren den des Chrysostomus, von den mittelalterlichen die Glosse und Nikolaus von Lyra sowie die Annotationes des Erasmus heran. Von den typisch lutherischen Theologumena, die bereits im Hebr-Kommentar begegnen und für die Entwicklung von Luthers reformatorischer Theologie bis 1518 von Bedeutung sind, werden behandelt: Conformitas Christi, Transitus, Exemplum und Sacramentum, das Sakramentsverständnis, Fides, Theologia Crucis. Gegenstand der 1971 erschienenen theologischen Dissertation des Verfassers (H. FELD, M. Luthers und W. Steinbachs Vorlesungen über den Hebr) ist ein Vergleich der Hebr-Auslegung mit derjenigen des Tübinger Professors Wendelin Steinbach (1454–1519). Der dem Orden der Brüder des Gemeinsamen Lebens angehörende und theologisch der Via moderna verpflichtete Schüler und Freund Gabriel Biels hielt in den Jahren 1516–1517 Vorlesungen über den Hebr (sie überschneiden sich also zeitlich mit denen Luthers). Im einzelnen werden in der Studie dargestellt: die technisch-exegetischen Voraussetzungen beider Autoren, ihr Verhältnis zum Humanismus, das hermeneutische Grundverständnis auf dem Hintergrund der biblischen Hermeneutik des Mittelalters, die Behandlung zentraler Themen reformatorischer Theologie in beiden Vorlesungen (Glaube und Heilsgewißheit, Rechtfertigung, Christi Person und Werk, kirchliche Tradition und Praxis). Die Schlüsselrolle des Hebr-Kommentars Steinbachs für die Erforschung der spätmittelalterlichen und reformatorischen Theologie- und Auslegungsgeschichte wird nach seiner Veröffentlichung deutlich (Teil I: Hebr 1–8, 1984). Am Ende seiner Auslegung hat Steinbach im Anschluß an Hebr 12, 15; 10, 39; 12, 28 in Form einer umfassenden Erörterung (Dubitatio generalis), die als Abschluß seines Kommentar-

werkes über das gesamte Corpus Paulinum gedacht war, die zentralen Themen der paulinischen und augustinischen Theologie, vor
allem das Verhältnis von Gnade und natürlichen Fähigkeiten des
Menschen, behandelt.

Die Untersuchung von KENNETH HAGEN: ›A Theology of Testament in the Young Luther. The Lectures on Hebrews‹ (1974)
nimmt sich vor, Luthers Hebr-Exegese im Licht der *mittelalterlichen* Exegese zu prüfen, was BOENDERMAKER und FELD angeblich
versäumt haben. Die einzelnen Kapitel des Buches von HAGEN be-
schäftigen sich mit folgenden Themen: 1. Luthers Stellung zur paulinischen Autorschaft des Hebr (zum Vergleich werden Chrysostomus, Faber Stapulensis und Erasmus herangezogen – keiner von
ihnen ein mittelalterlicher Exeget); 2. die Beziehung zwischen beiden Testamenten (auch hier dienen die Aussagen von Chrysostomus, Augustinus, Faber Stapulensis und Erasmus als Hintergrund);
für die Exegeten vor Luther ist die „excellentia Christi" General-
thema des Hebr, während Luther die Betonung auf „gratia" und
„Christus allein" legt; er betont den Bruch zwischen Altem und
Neuem Testament, zwischen Gesetz und Evangelium; 3. den
Glaubensbegriff und im Zusammenhang damit Luthers berühmte
Darlegung der Heilsgewißheit im Anschluß an Hebr 5, 1 (o.c.
87 ff.); 4. die Christologie (darunter auch das Begriffspaar „sacramentum et exemplum": 114 f.). Die beiden zuletzt genannten Themen behandelt HAGEN recht oberflächlich. So geht er überhaupt
nicht auf die von der Auffassung aller mittelalterlichen Theologen-
schulen abweichende Sakramentenlehre Luthers ein, die in seiner
Hebr-Vorlesung erstmals deutlich artikuliert wird. Die der seinen
vorausgegangenen Untersuchungen zur Hebr-Exegese kritisiert
HAGEN heftig. In seiner Einleitung bemerkt er, das Werk FELDS
habe ihm den letzten Anstoß dazu gegeben, seine eigene Studie zu
publizieren. "By his heavily exegetical (in the modern sense) com-
parison of Steinbach and Luther, Feld does not have sufficient per-
spective to see that Luther is dealing with a very traditional and
theological judgment about the main message of Hebrews, a judgment of which Steinbach and/or Feld are apparently not aware"
(o.c. 2; Luthers Auslegung war Steinbach ganz unbekannt!). FELD
soll außerdem nicht gemerkt haben, daß Luthers Exegese theologisch und seine Theologie exegetisch sei. Es ging mir u. a. jedoch
gerade darum, Luthers theologische Voraussetzungen und ihren
Einfluß auf seine Exegese herauszuarbeiten. HAGEN dagegen übersieht, wie viele andere Luther-Forscher, daß Luther den Hebr im

Licht seiner hauptsächlich am Galaterbrief gewonnenen Erkenntnisse liest und auslegt. Weil er den Maßstab reformatorisch verstandener paulinischer Theologie an den Hebr anlegt, deshalb kann er in ihm „etwas Holz, Stroh oder Heu" finden (WA, Deutsche Bibel 7, 344 f.).

In einem weiteren Buch hat HAGEN die Hebräerbrief-Auslegung von Erasmus bis Beza behandelt (Hebrews Commenting, 1981). Der erste Teil ist den Exegeten von Erasmus bis Calvin, der zweite denen von Ambrosius Catharinus Politi bis Théodore de Bèze gewidmet. HAGEN geht hauptsächlich auf die Einleitung (Argumentum) des jeweiligen Autors näher ein und gibt die Schwerpunkte seiner Auslegung kurz an. Der Wert des Buches besteht hauptsächlich darin, daß in der Bibliographie die wichtigsten Hebräerbrief-Kommentare des 16. und 17. Jahrhunderts aufgeführt sind. Demgegenüber hat BRUCE DEMAREST in einer Einzeluntersuchung (History of Interpretation, 1976) die Geschichte der Interpretation der Melchisedek-Vorstellung von Hebr 7, 1–10 seit Humanismus und Reformation bis zum 20. Jahrhundert verfolgt. Die Exegeten sind für die fünf behandelten Jahrhunderte jeweils nach ihren geistigen und konfessionellen Hauptrichtungen geordnet: Humanisten, Reformatoren, Socinianer, Katholiken, Puritaner, Pietisten usw.

Im Jahre 1982 fand in Genf ein Kolloquium über Probleme der Auslegungsgeschichte von Hebr 9 im 16. Jahrhundert statt. Die bei dieser Gelegenheit gehaltenen Vorträge wurden inzwischen im ›Journal of Medieval and Renaissance Studies‹ veröffentlicht (s. den Nachtrag zur Bibliographie u. S. 141).

B. THEOLOGISCHE FRAGEN

I. Der theologische Grundgedanke

Den theologischen Grundgedanken des Hebräerbriefs hat schon
H. WINDISCH in seinem Kommentar von 1913 (²1931) kurz formuliert: „Christus ist durch seinen Tod und seine Himmelfahrt unser
wahrer Hoherpriester geworden" (129; vgl. ebd. 79). Was der
Grundgedanke, die Haupt-Sache des Hebr sei, ist freilich nicht
unumstritten. Fast alle Exegeten, die sich ausführlicher mit den
theologischen Fragen unseres Briefes beschäftigt haben, haben auch
dazu Stellung genommen. Wir wollen hier nur auf eine begrenzte
Auswahl der Stimmen eingehen.

Da bekanntlich in dem Brief theologisch-lehrhafte und paränetische Abschnitte aufeinander folgen, ist eine in der Forschung häufig
kontrovers diskutierte Frage die, ob nach der Intention des Verfassers das Schwergewicht auf den ersteren oder den letzteren
liegt.

E. KÄSEMANN und in seinem Gefolge viele andere haben den paränetischen Charakter des Briefes betont, so noch W. NAUCK (Aufbau 203 ff.) mit der Begründung, daß die „dogmatischen Ausführungen des Briefes jeweils von Paränesen gerahmt sind und sofort in
die Paränese überführen". E. GRÄSSER (Hebräerbrief 160) spricht
von zwei Erkenntnissen, „die wir im wesentlichen O. MICHEL ver-
danken oder die er doch zumindest energisch zum Zuge gebracht
hat: das ist einmal die Einsicht in den Vorrang der Paränesen vor den
Thesen, oder anders ausgedrückt: die durchgängige paränetische
Gezieltheit aller Ausführungen unseres Schreibens; und das ist zum
anderen die Erkenntnis, daß die urchristliche Predigt der Schlüssel
zum Verständnis des lit. Charakters des Hebr ist" (vgl. MICHEL 27).
Auch KÄSEMANN hatte in seiner Rezension des Kommentars von
MICHEL (8. Aufl. des Hebr-Kommentars im Krit.-exeget. Komm.
von H. A. W. MEYER: 1949) noch ausdrücklich dessen Auffassung
bestätigt, daß auf der Paränese, nicht auf der theologischen Beweisführung das Hauptgewicht ruhe. Er zog daraus allerdings die Konsequenz, „daß nicht die Entfaltung des christologischen Kerygmas,
sondern das Thema des wandernden Gottesvolkes das Ganze eint

und die Christologie sehr bemerkenswert in den Dienst der Paränese stellt" (ThLZ 75, 1950, 428f.).

J. C. Fenton (Argument 175 ff.) macht darauf aufmerksam, daß von den fünf großen Ermahnungen (2, 1–4; 3, 1–4, 16; 5, 11–6, 20; 10, 19–39; 12, 1–29) vier mit einem „deshalb" eingeleitet werden: 2, 1 διὰ τοῦτο; 3, 1 ὅθεν; 10, 19 ἔχοντες οὖν; 12, 1 τοιγαροῦν καὶ ἡμεῖς... ἔχοντες. Die dritte Ermahnung beginnt zwar nicht mit einem „deshalb", dieses folgt aber 6, 1 (διὸ) nach einer Überleitung. Aus dieser Art und Weise der Verbindung von Lehre und Paränese und „aus des Autors eigener Beschreibung seines Werkes" 13, 22 schließt Fenton: „Die Hauptabsicht des Dokumentes ist Ermahnung, nicht Darlegung. Die theologischen Abschnitte sind um der ethischen willen da; die Absicht des Hebr ist eher praktischer als theoretischer Natur" (o.c. 177). Die gesamte Argumentation läuft aber darauf hinaus zu zeigen, daß es keine Möglichkeit der Reue und keine Vergebung für die nach dem Empfang der Taufe begangenen Sünden gibt (2, 2f.; 3, 12; 6, 4–6; 10, 26f.) und daß „wir" uns hier in einer schlimmeren Situation befinden als die Israeliten, insofern uns härtere Strafe erwartet als jene (10, 28: χείρων; 10, 26f.; 12, 25: πολὺ μᾶλλον). Der Erste Clemensbrief liegt ganz auf dieser Linie, wenn er sagt: ὁρᾶτε, ἀδελφοί, ὅσῳ πλείονος κατηξιώθημεν γνώσεως, τοσούτῳ μᾶλλον ὑποκείμεθα κινδύνῳ (1 Clem 41, 4). Wegen dieser theologischen Grundlinie kommt Fenton zu einer totalen Ablehnung des Hebr als Dokument christlicher Lehre und Verkündigung.

Die Frage, welches die tragende theologische Idee des Hebr sei, haben, soweit ich sehe, zuletzt ausführlich Ph. Vielhauer (Geschichte der urchristlichen Literatur, 1975) und J. Thompson (Underlying Unity, Rest. Quart. 18, 1975) behandelt. Vielhauer stellt fest: „Der Hebr befaßt sich mit einem einzigen Thema: Christus der wahre Hohepriester" (o.c. 238). In der Folge wendet er sich gegen die oben referierte Auffassung Käsemanns und anderer: die Behauptung, der Skopus des Hebr liege in den paränetischen Teilen, bagatellisiere „in unzulässiger Weise die theologischen Anstrengungen des Verfassers, deren es in diesem Ausmaß zu paränetischen Zwecken nicht bedurft hätte" (o.c. 243; im gleichen Sinne auch H.-M. Schenke, Erwägungen 422). Auch Käsemanns These, daß die Vorstellung vom „wandernden Gottesvolk" die Basis des Hebr bilde, wird von Vielhauer abgelehnt: vielmehr sei die Vorstellung vom Hohenpriestertum Christi die Basis der Theologie des Hebr, die Vorstellung vom wandernden Gottesvolk dagegen ein Korrelat zu ihr; Priorität komme also der Christologie vor der Ekklesiologie und Paränese zu; das gehe schon aus der Komposition des Hebr und der zentralen Stellung des Hauptstücks 7, 1–10, 18 hervor, das rein christologisch sei (o.c. 245; ähnlich schon G. Fitzer, Hebräerbrief 300f., der in 2, 16f. und 4, 14f. das Thema der christologischen Ausführung angegeben sieht).

Thompson kritisiert sowohl Käsemanns Auffassung, die Vorstellung vom wandernden Gottesvolk sei die zentrale Leitidee des Hebr, als auch die Ansicht derjenigen, die den Hohepriester-Abschnitt ("the cultic section of the book": 7, 1–10, 18) als Schlüssel der Interpretation nehmen (Underlying Unity 130). Nach Thompson ist dagegen von der Situation der Leser auszugehen: der Autor beschäftigt sich mit ihren früheren Tagen (10, 32) ebenso wie mit ihrer aktuellen Lage. Sie benötigen Ausdauer (ὑπομονή, 10, 36); sie gehören zur zweiten Generation (2, 1–4) und sie sind in Gefahr, ihre Zuversicht (παρρησία, 3, 6; 10, 35) und ihr anfängliches festes Vertrauen (ἀρχὴ τῆς ὑποστάσεως, 3, 14) aufzugeben. Diese allgemeine Mattheit, Erschlaffung (vgl. 12, 12) hat dazu geführt, daß einige der Gemeindeversammlung fernbleiben (10, 25). Die Situation der Leser ist durch den Verlust der Standfestigkeit (vgl. 3, 14) charakterisiert: mit ihr hat der Autor zu tun und sie bildet die tragende Einheit des Briefes. Auf diesem Hintergrund entfaltet er die theologischen Hauptthemen: Christologie, kultische Sprache, die große Wolke der Zeugen (11, 1–39), die Sinai-Theophanie und das unerschütterliche Königtum (12, 18–29). Diese theologischen Darlegungen, in denen es um den Beweis der Überlegenheit Jesu und seines Werkes über alle vergleichbaren Dinge geht, dienen dem Ziel, einer ermatteten Gemeinde wieder Sicherheit und Standfestigkeit zu geben, die Ausdauer ermöglichen.

Man sieht, daß der Streit darum, wo das Schwergewicht im Hebr liegt, wesentlich seine Ursache in der Struktur des Briefes selbst, dem Wechsel von theologischen und paränetischen Teilen, hat. Ganz gewiß steht dem Verfasser die Situation der Gemeinde vor Augen: sie ist für ihn der Anlaß zu schreiben, und sein Ziel ist, bei seinen Adressaten etwas zu bewirken und zu ändern. Doch hat Vielhauer durchaus recht mit der Bemerkung, daß der im Zentralteil des Hebr dargelegte λόγος τέλειος weit mehr ist, als es zu paränetischen Zwecken bedurft hätte.

II. Die Bedeutung des Alten Testaments

Die Stellung, die der Auctor ad Hebraeos zum Alten Testament als Buch und zu den in ihm berichteten Ereignissen der Geschichte Israels einnimmt, scheint auf den ersten Blick nicht eindeutig und widerspruchsfrei zu sein. Einerseits ist der biblische Text für ihn Wort Gottes (s. auch o. A. VII. 1. b): Gott selbst bzw. der Heilige Geist spricht in den Propheten, Psalmen und kultischen Vorschriften des Alten Testaments (Hebr 1, 1; 3, 7; 9, 8; 10, 15); die Heiligen des alten Bundes handeln im Glauben und werden den Christen als Glaubenszeugen vorgestellt (11; 12, 1). Andererseits nimmt er eine Abwertung, einen Verweis in die Zweitrangigkeit und ins Unnütze für zentrale Glaubensaussagen des Judentums vor und er bestreitet die Heilswirksamkeit des jüdischen Kultus überhaupt (4, 2; 7, 11. 18; 8, 13; 9, 9f. 12f.; 10, 1–4. 11. 18). Es kommt hinzu, daß die Beweise für das Ungenügen zentraler Inhalte der alttestamentlichen Religion mit Hilfe von Texten aus dem Alten Testament selbst geführt werden: Ps 95, 7 dient als Beweis dafür, daß die Verheißung der Ruhe noch nicht erfüllt ist (Hebr 4, 6–10); der göttliche Schwur in Ps 110, 4 beweist, daß das levitische Priestertum nicht zur Vollendung des Heils führen kann (7, 11f. 20f.); die Ablösung des alten, unvollkommenen durch einen neuen, besseren Bund wird mit der Prophezeiung Jer 31, 31–34 belegt (8, 6ff. 10. 16ff.); die Teilung des alttestamentlichen Heiligtums in die zwei Räume „Heiligtum" und „Allerheiligstes", Ex 25 und 26, weist auf die Vorläufigkeit und Mangelhaftigkeit des alten Kultes und dessen Ersetzung durch den Kult des wahren Hohenpriesters Christus hin (9, 1–11); die Wirkungslosigkeit der alttestamentlichen Opfer („Stiere und Böcke") findet der Autor in Ps 40, 7–9 ausgesprochen (10, 4ff.).

Das Verhältnis des Auctor ad Hebraeos zum alten Bund im Vergleich zu Paulus ist Gegenstand eines Aufsatzes von ULRICH LUZ (Ev. Theol. 27, 1967). Er versucht, die oben beschriebene Antithese von Abwertung des alten Bundes und Betonung der Kontinuität zwischen Altem und Neuem zu erklären. Wie der Hebr im Zuge seiner Tendenz, die Untauglichkeit des alten Bundes und Kultes zu erweisen, Jer 31, 31ff. zitiert und zugleich umdeutet und radikalisiert, formuliert LUZ treffend: „Während es bei Jeremia das alte Gottesgesetz ist, das im neuen Bund in ganz neuer Weise kräftig wird, das Neue hingegen vorwiegend in einer im Bereiche des Anthropologischen liegenden neuschaffenden Heilstat Gottes liegt, ist hier das Gesetz selbst mit unter das Verdikt des Veralteten gestellt,

das sich als unnütz erwiesen hat; während bei Jeremia das Hauptgewicht demzufolge auf dem Ungehorsam des Volkes liegt, der den
Bund zerstörte, ist es hier der Bund selbst, der das Heil nicht ver-
schaffen kann, wobei der vor allem in paränetischem Zusammenhang erwähnte Ungehorsam des alten Gottesvolkes noch dazu-
kommt" (Bund 329f.). Eine Erklärung dieser schroffen Antithese
im Sinne des Hebr sieht Luz in der qualitativ unendlichen Verschiedenheit des Bundes des himmlischen Hohenpriesters von dem alten
Bund, der der Welt des Irdischen angehört. Damit sei auch gegenüber Paulus eine neue Dimension erschlossen, insofern sich die Gedanken des Hebr nicht mehr als Radikalisierung oder Präzisierung
apokalyptischer Vorstellungen verstehen lassen. Unapokalyptisch
sei die Art und Weise, wie der Hebr Jenseitiges und Diesseitiges
miteinander in Beziehung setze. Begriffe wie παραβολή (9, 9),
ὑπόδειγμα (8, 5; 9, 23), σκιά (8, 5; 10, 1), ἀντίτυπος (9, 24), εἰκών
(10, 1) dienten der Unterscheidung himmlischer und irdischer
Phänomene und verweisen religionsgeschichtlich auf ein Philo be-
nachbartes hellenistisches Judentum. „Das dort geläufige Urbild-
Abbild-Denken verbindet sich dann im Hebräerbrief mit dem zeitlich-
apokalyptischen Denken der urchristlichen Tradition." Der Hebr
sei so religionsgeschichtlich „wohl am ehesten als Resultat der Begegnung zwischen einer weitgehend apokalyptisch geprägten
christlichen Tradition und einer nicht primär apokalyptisch
bestimmten hellenistisch-jüdischen Umwelt zu verstehen" (o.c.
330f.). Luz meint deshalb, im Hebr zwei Arten von Typologie un-
terscheiden zu können: die auf dem Gegenüber zweier Äonen ba-
sierende Typologie des Urchristentums und das auf der Gegenüberstellung „himmlisches Urbild – irdisches Abbild" beruhende onto-
logische Denken des hellenistischen Judentums, das erst durch
seine Verbindung mit dem geschichtlichen Denken zur Typologie
wird (o.c. 331).

Wenn die Hypothese einer doppelten Typologie des Hebr auch
im Lichte der neueren Untersuchungen zum religionsgeschichtlichen Hintergrund sehr fraglich erscheint (vgl. o. A. VII. 2. c), so
sind doch die Beobachtungen von Luz hinsichtlich der radikalen
Diskontinuität von Altem und Neuem, die er gegenüber MICHEL
(295) festhält, zutreffend. Luz hat auch richtig bemerkt, daß demgegenüber die *Kontinuität* zwischen Altem und Neuem keineswegs
zurücktritt, sondern sogar besonders betont ist. Er findet diese
Kontinuität in drei Gedankensträngen: 1. Melchisedek, der dem
Auctor ad Hebraeos dazu dient, Jesu Hohepriestertum als himmli-

sches zu schildern. Mit Berufung auf A. S. VAN DER WOUDE sieht LUZ in Melchisedek einen himmlischen Hohenpriester (s. o. A. VII. 2. a) und folgert: „Kontinuität in eigentlichem, direktem Sinn zum neuen Bund gibt es für den Hebräerbrief offenbar nur im Himmel. Im alttestamentlichen Melchisedek tritt ein Stück Himmelswelt in die Geschichte" (o.c. 333). 2. Das Alte Testament, vom Hebr überaus häufig angeführt, ist für ihn nicht Wort menschlicher Verfasser, sondern Gotteswort bzw. Wort des Geistes und als solches lebendiges und wirksames Wort, das ins Heute (4, 7) gesprochen ist; damit ist es nicht dem alten Bund zugehörig. 3. Die Verheißung (ἐπαγγελία) ist im Hebr das himmlische Heilsgut, um das es auch im alten Bund ging. Der Glaube der Väter des alten Bundes bezog sich auf diese Verheißung, aber im Unterschied zu den Gläubigen des neuen Bundes erlangten sie sie nicht. Im Anschluß an KÄSEMANN (Gottesvolk 38f.) betont LUZ, daß der Glaube der alttestamentlichen Gestalten ebensowenig eine irdisch vorfindliche Eigenschaft wie ihre Aufeinanderfolge eine geschichtlich vorfindliche Sukzession sei (o.c. 334). Demgegenüber ist zu bedenken, daß der Glaube der alttestamentlichen Heiligen durch den Auctor ad Hebraeos als eine das menschliche Dasein bestimmende Wirklichkeit vorgestellt wird. Nur deshalb können sie ja den Adressaten, ebenso wie die verstorbenen Gemeindeleiter (ἡγούμενοι 13, 7), als Zeugen und Beispiele des Glaubens vorgestellt werden.

Es bedürfte einer eingehenderen Untersuchung des Verhältnisses von Kontinuität und Diskontinuität von Altem und Neuem im Hebr, in der auch zu zeigen wäre, welche Rolle hierbei der Hohepriester-Christologie des Autors als hermeneutischem Prinzip zukommt.

III. Die Christologie

Das zentrale Theologumenon des Hebr, die Hohepriester-Christologie, ist, neben dem religionsgeschichtlichen Hintergrund, wohl der Gegenstand, dem die meisten Untersuchungen über den Hebr gewidmet sind. Was für die übrigen Kapitel unseres Berichtes gilt, trifft deshalb hier um so mehr zu: Aus der schier unübersehbaren Fülle der Literatur und der in ihr geäußerten Gedanken und Hypothesen können wir nur weniges zur Sprache bringen. Einen ausführlichen Bericht über die Erforschung der Christologie des Hebr bis 1972 gibt A. STADELMANN (Zur Christologie: Theol. Berichte 2, 1973).

Die Aussagen des Hebräerbriefes über Jesus Christus kreisen um drei Hauptgedanken: 1. Jesus ist als der ewige, präexistente Gottessohn allen anderen Verkündern des Gotteswortes und Heilsvermittlern überlegen; 2. er hat die hohepriesterliche Würde und Herrlichkeit erlangt, indem er sich durch die Gleichstellung mit den Menschen erniedrigte und durch Leiden zur Vollendung gelangte; 3. Jesus ist als ewiger Hoherpriester der einzige Heilsvermittler seiner Gemeinde bei Gott. Es ist oft in der Forschung betont worden, daß diese Trias dem dreistufigen christologischen Schema: Präexistenz – Inkarnation – Erhöhung entspricht, das wir auch in anderen neutestamentlichen Schriften, am deutlichsten wohl im Corpus Paulinum (Phil 2, 6–11; Kol 1, 15–20; 1 Tim 3, 16; vgl. G. BORN-KAMM, Bekenntnis 196 ff.; U. LUCK, Himmlisches und irdisches Geschehen 194 f.) und bei Johannes, finden. Schon FRIEDRICH BÜCHSEL hatte seine noch immer lesenswerte und anregende Untersuchung über die Christologie des Hebräerbriefes (1922) den christologischen Grundgedanken des Schreibens entsprechend disponiert: 1. Der Sohn Gottes; 2. der geschichtliche Jesus; 3. der Hohepriester.

1. Der Sohn Gottes

Die ersten Verse des Hebr (1, 1–4) enthalten die entscheidenden Aussagen über den Sohn Gottes: Gott hat durch Jesus geredet (wiederaufgenommen in 3,1, wo Jesus ἀπόστολος τῆς ὁμολογίας ἡμῶν genannt wird); er ist der Erbe von allem, und Gott hat durch ihn die Welten gemacht: er ist also der Mittler der Schöpfung; als Abglanz (ἀπαύγασμα) und Abdruck (χαρακτήρ) göttlicher Herrlichkeit ist er auch derjenige, der die Welt mit seinem Wort in ihrem Bestand erhält (φέρων: Jesus bewahrt die Welt vor dem Untergang und regiert sie; vgl. LOADER, Sohn 70). Durch diese Eigenschaften wird der Sohn an die Seite Gottes gerückt, der ihn nach 1, 8f. „Gott" nennt. „Eine ernstere Form des Bekenntnisses zur Gottheit des Sohnes gibt es nicht" (BÜCHSEL, Christologie 22).

Ein in der Forschung seit der Mitte des vergangenen Jahrhunderts diskutiertes Problem ist, wann nach Auffassung des Hebr Jesus Sohn wurde: Fand die Erhebung zur Sohnschaft erst mit der Erhöhung Jesu statt oder war schon der Präexistente Sohn? (Eine ähnliche Fragestellung ergibt sich aus den Ausführungen des Hebr über das hohepriesterliche Amt Jesu: War Jesus bereits auf Erden Hoherpriester oder wurde er erst mit oder nach seiner Erhöhung als solcher eingesetzt?) In der Einleitung seines Buches ›Sohn und Hoherpriester‹ (1981) hat WILLIAM R. G. LOADER einen Überblick über die Geschichte der Erforschung des Problems gegeben, die wir deshalb hier im einzelnen nicht nochmals referieren (vgl. auch STADELMANN, Christologie 165f.). Die Frage wurde zuletzt von JAMES D. G. DUNN (Christology, 1980, 206–209) und in aller Ausführlichkeit von LOADER in seiner o. e. Dissertation erörtert. DUNN schließt aus den Versen 1, 2b–3, in denen er wie viele Exegeten vor ihm einen frühchristlichen Hymnus sieht, „daß der Autor in erster Linie an den erhöhten Christus denkt" (o.c. 208; zu dem Hymnus s. vor allem G. BORNKAMM, Bekenntnis 197–200 und H. ZIMMERMANN, Bekenntnis 52–60, die aber beide das Zitat nicht schon mit v. 2b ὃν ἔθηκεν κληρονόμον beginnen lassen, sondern nur v. 3 ὃς ὢν ἀπαύγασμα κτλ. hymnischen Charakter zusprechen). DUNN zieht diese Folgerung vor allem aufgrund der in 1, 1–3 ausgedrückten Gedankenlinie, nach welcher der Sohn der eschatologische Höhepunkt („in diesen letzten Tagen"!) zu Gottes früherer und eher bruchstückhafter Offenbarung ist. Diese sich steigernde Offenbarung hat ihr Ziel in seinem Sühneopfer für die Sünden und seiner Erhöhung zur Rechten Gottes (v. 3d–e). Dennoch zeigt sich nach DUNN eine gewisse Doppeldeutigkeit im Verständnis der Sohnschaft Jesu „als einem Status, der in gewissem Sinn präexistent ist, aber der in einem anderen Sinn einer ist, zu dem er erst bestimmt wurde als jemand, der gelitten hat und erhöht wurde" (vgl. vor allem 5, 1–10).

LOADER geht aus von den Hebr 1, 5 zitierten „Adoptions"- oder „Erhöhungsaussagen" aus Ps 2, 7 („Mein Sohn bist du, heute habe ich dich gezeugt") und 2 Sam 7, 14 („Ich werde ihm Vater sein, und er soll mir Sohn sein"). Das Nebeneinander dieser beiden Stellen beweist, daß wir es im Hebr mit messianischer Tradition zu tun haben (vgl. Apg 13, 33 und 4QFlor), die im Zusammenhang mit der *Erhöhung* zu verstehen ist. In 1, 4 ist von der Erhöhung und Namensverleihung die Rede. Der gemeinte Name ist nach LOADER „Sohn" (s. aber VANHOYE, Prêtres anciens 106f.: es ist bereits hier der Name „Hoherpriester" gemeint). „Im Zusammenhang mit der Inthronisation Jesu (1, 3e) und der damit gewonnenen Überlegenheit über die Engel (1, 4 vgl. 2, 7. 9) findet die Namensverleihung (und damit Anrede von 1, 5) statt" (LOADER, o.c. 8f.).

LOADER setzt sich dann mit den anderen Auslegungen des Hebr-Anfangs auseinander: 1. Es ist an die *Taufgeschichte* gedacht (Ps 2, 7! so STRATHMANN z. St.). Dagegen spricht die Anbetung durch die Engel beim Eintritt in die Welt, die eine Ehrung durch Gott voraussetzt. 2. Der Verfasser dachte an die *Empfängnis* Jesu (RIGGENBACH, WINDISCH z. St.). Die Hypothese beruht auf dem Versuch, Parallelen zur lukanischen Geburtsgeschichte (Lk 2, 8–13) herzustellen. Doch preisen die Engel bei Lk Gott, Hebr 1, 6 beten sie den Sohn an. 3. Auch die Auffassungen, die die Erhebung Jesu zum Sohn mit der *Sendung,* einem *vorzeitlichen Ereignis* oder dem *ewigen „Heute"* gleichsetzen wollen (NOMOTO, BLEEK, MICHEL, MÉNÉGOZ, U. LUCK), lehnt LOADER ab, „weil sie den unmittelbaren Kontext nicht ernst nehmen" (o.c. 11): Der Versuch, 1, 5 in Verbindung mit ὃν ἔθηκεν κληρονόμον πάντων (1, 2b) und Ps 2, 8 δώσω σοι ἔθνη τὴν κληρονομίαν σου zu bringen, so daß doch an ein vorzeitliches Ereignis zu denken wäre, sei nicht überzeugend; die zeitliche und inhaltliche Verbindung von 1, 5 mit 1, 4 κεκληρονόμηκεν ὄνομα sei viel enger, und dort werde von dem *Erhöhungsereignis* gesprochen. 4. Möglicherweise hat der Verfasser beim Gebrauch von Ps 2, 7 *überhaupt an keinen Zeitpunkt* gedacht; dann wäre 5, 5 zu verstehen: „Nachdem Gott an einer Stelle der Schrift vom Sohn die Worte von Ps 2, 7 sagt, macht er an einer anderen Stelle die Aussage von Ps 110, 4" (so BÜCHSEL, Christologie 9; MOFFATT; HÉRING; KUSS; MONTEFIORE). Aber 5, 10 zeigt, daß Ps 110, 4 an einen Zeitpunkt gedacht ist.

Im weiteren legt LOADER dann dar, daß die Geburtsvorstellung und Christologie des Hebr im Zusammenhang mit der Überlieferung einer Erhöhung Jesu zur königlichen Herrschaft stehen (o.c. 12 ff.). Er gibt allerdings zu, daß sich im Hebr auch andere Sohnschaftsvorstellungen finden (14 f.). Um das Verhältnis dieser Vorstellungen zueinander und also um den Zusammenhang der Christologie des Auctor ad Hebraeos geht es in dem Abschnitt über „Jesu göttliche Würde" (o.c. 62–80). LOADER stellt fest, daß es Aussagen gibt, die eindeutig von einer Präexistenz Jesu sprechen. Dazu gehören die, die von der Inkarnation (2, 14. 17) und Erniedrigung (2, 7. 9), sowie diejenigen, die vom Gehorsam (10, 9) und der Erscheinung Jesu zum Heil der Menschen (9, 11. 26b) sprechen. In diesem Zusammenhang wird dann auch der Vergleich des Sohnes Gottes mit Moses (3, 1–6) behandelt. Der Verfasser hat Mose erwähnt, „weil die Versuchung, vor der die Leser standen, in der Rückkehr zum Judentum aus Furcht vor Verfolgung lag" (o.c. 76; s. aber dagegen neuerdings E. GRÄSSER, Mose und Jesus, ZNW 75, 1984, 2–23; ebd. 21 f. im Anschluß an H. BRAUN: Nicht die polemische Absicht der Diskreditierung der Mosereligion führt dem Verfasser die Feder, sondern die parakletische der Gewißmachung der Glaubenden. Die Christologie, in deren Rahmen die typologische Entsprechung zur Wüstengeneration steht, dient der *Gewißmachung der Glaubenden*: Jesus hat größere Doxa als Mose, der in der Tradition das Beispiel der Vollkommenheit war). LOADER kommt bezüglich der Auffassung des Hebr von der göttlichen Würde Jesu zu dem Schluß, „daß diese Würde nicht auf die Erhöhung beschränkt werden darf. Der, den er bevorzugt Sohn nennt, war sowohl in der Vorzeit als auch auf Erden tätig" (o.c. 80).

Dies scheint nun doch mit der vorher entwickelten These LOADERS im Widerspruch zu stehen, und man fragt sich dann doch wieder: Als was war Jesus denn in der Vorzeit „tätig", wenn nicht als Sohn? So wird wohl doch die von LOADER abgelehnte (oben unter 3. referierte) Erklärung, nach der Jesus als Bild des göttlichen Wesens vor aller Zeit Sohn Gottes wurde, die am ehesten zutreffende sein. Neben den von LOADER genannten Autoren treten dafür auch VANHOYE (Christologia), STADELMANN (Christologie 168f.), J. ROLOFF (Hohepriester 145) und neuerdings C. J. A. HICKLING (John and Hebrews, NTS 29, 1983, 114) ein. Letzterer sieht in 2, 14 und 16 einen gewissen Rückbezug auf die Bedeutung des Verhaltens des präexistenten Sohnes. Die Deutung, daß bereits der Präexistente „Sohn" war, wird auch dem „unmittelbaren Kontext" der Anfangsverse des Hebr eher gerecht. In 1, 3 ist dann schon das erwähnte dreifache christologische Schema ausgesprochen: 1. Präexistenz (ὃς ὢν κτλ.), 2. Erniedrigung (καθαρισμὸν κτλ.), 3. Erhöhung (ἐκάθισεν κτλ.). LOADER bringt auch mit großem gelehrtem Aufwand die zwar nicht leicht zu verstehende, aber gewiß doch klar durchdachte Christologie des Hebr gänzlich durcheinander, nach der die Erhöhung Jesu nicht mit der Sohnschaft, sondern mit dem hohepriesterlichen Amt in Zusammenhang gebracht wird.

Zuletzt hat HERBERT BRAUN in seinem Exkurs ›Die chronologische Aporie der Hebr-Christologie‹ (32 f.) angebliche Widersprüche und Spannungen im christologischen Entwurf des Hebr zusammengestellt. Nun soll das Vorhandensein von Spannungen gewiß nicht geleugnet werden, die mit der religionsgeschichtlichen Situation, in der das Dokument entstanden ist, und den Traditionsströmen, denen es verpflichtet ist, zusammenhängen und die auch die außerordentliche Schwierigkeit seiner Interpretation zur Folge haben. Aber es geht nicht an, dem Autor in bezug auf das Zentralthema seiner Theologie einen Mangel an Denkfähigkeit anzulasten, als ob er sich ungefähr bei jedem weiteren Schritt seiner Darlegung in unlösbare Widersprüche und Aporien verwickelt hätte. Nicht selten liegt dann doch wohl der Verdacht näher, daß die angebliche Aporie auf die Voreingenommenheit und mangelnde Bereitschaft, sich auf den Text einzulassen, bei dem betreffenden Kommentator oder Interpreten zurückzuführen ist. So stellt Braun u. a. lapidar fest: „Der Antritt des Allerbes bei der Inthronisation 1, 2 und erst bei der Parusie 2, 8 widersprechen sich" (33). In 1, 2 ist nicht von der Inthronisation, sondern von der Einsetzung des präexistenten Sohnes als Erben des Kosmos die Rede; in 2, 8 dagegen geht es um die gegenwärtige Situation und das eschatologische Geschick des Kosmos, der eine andere Gestalt erhalten muß, wenn er dem Sohn als Erbteil definitiv unterworfen werden soll (vgl. 12, 27; s. u. B.V.).

2. Der irdische Jesus

Nach der Auffassung des Auctor ad Hebraeos, wie sie in 4, 14–5, 10 entwickelt wird, hat Jesus die hohepriesterliche Würde ("the qualification for heavenly high priesterhood": D. Peterson, Hebrews and Perfection 84) durch sein irdisches Leben und sein Todesleiden erworben. Das Thema wird bereits in 2, 5–18 vorbereitet: Jesus ist διὰ τὸ πάθημα τοῦ θανάτου mit Herrlichkeit und Ehre gekrönt (2, 9); Gott hat den, der die Söhne zum Heil führt, διὰ παθημάτων vollendet (2, 10); Jesus „mußte in allen Stücken seinen Brüdern gleichwerden, damit er ein barmherziger und treuer Hoherpriester Gott gegenüber würde, um die Sünden des Volkes zu sühnen. Denn worin er selbst Versuchung erlitten hat, vermag er denen zu helfen, die versucht werden" (2, 17f.). Wie man sieht, ist das irdische Dasein Jesu in doppelter Weise für die Hohepriester-Christologie des Hebr bedeutsam: Jesus hat seine Vollendung und sein Hohepriestertum durch sein auf der Erde erduldetes Leiden erlangt (vgl. auch 9, 12. 14); dadurch daß Jesus in allem den Menschen gleichgemacht wurde, auch wie sie der Versuchung ausgesetzt war, kann er mit unseren Schwachheiten mitfühlen (συμπαθῆσαι: 4, 15) und ist so ein zuverlässiger Sachwalter vor Gott und Helfer für die Menschen.

Das Thema ›Der irdische Jesus im Rahmen der Hohepriesterchristologie des Hebräerbriefs‹ wurde zuletzt ausführlich behandelt von Jürgen Roloff in der Festschrift für H. Conzelmann (1975; 143–166); dort sind auch die wichtigsten älteren Untersuchungen

zu dem Thema verzeichnet, mit denen sich ROLOFF auseinander-
setzt (s. bes. ebd. 148, Anm. 17); ERICH GRÄSSER in seinen Aufsätzen ›Der historische Jesus im Hbr‹ (ZNW 56, 1965, 76–82) und
›Die Heilsbedeutung des Todes Jesu in Hebräer 2, 14–18‹ in der
Festschrift für E. DINKLER (1979, 165–184); ALBERT VANHOYE in
seinem Buch ›Prêtres anciens – Prêtre nouveau selon le Nouveau
Testament‹ (1980, 130–166); FRANZ LAUB: ›Bekenntnis und Auslegung‹ (1980, 104–143, mit Literaturangaben zu Hebr 5, 7–10:
ebd. 123, Anm. 231); schließlich DAVID PETERSON: ›Hebrews and
Perfection‹ (1982, 74–103).

Entscheidend für das Verständnis des wichtigen Abschnitts 5,
7–10 ist die Frage nach der Traditionsbasis der Aussagen des Hebr
über das irdische Leben Jesu, wenn auch F. LAUB (Bekenntnis 126)
im Anschluß an M. DIBELIUS (Der himmlische Kultus, Ges. Aufs.
II, 169) und U. LUCK (Himmlisches und irdisches Geschehen 197)
davor warnt, durch Erwägungen über die traditionsgeschichtliche
Herkunft des Stoffes sich den Weg zum Verständnis zu verstellen.
ROLOFF resümiert als Ergebnis der Forschungen von J. JEREMIAS
(Hebräer 5, 7–10), A. STROBEL (Psalmengrundlage) und E. GRÄS-
SER (Der historische Jesus), „daß es sich hier nicht um direkte An-
leihen aus der synoptischen Tradition handelt, ja daß eine weiterge-
hende Kenntnis von Einzelheiten des irdischen Lebens Jesu seitens
des Verfassers an keiner Stelle des Briefes zwingend nachgewiesen
werden kann" (Hohepriester 145 f.). So nimmt er mit GRÄSSER (o.c.
82) an, daß die Notiz über Jesu Leiden „außerhalb des Tores"
(13, 12) theologische Spekulation sei, die nichts weiter als den allgemeinen antiken Modus bei Hinrichtungen voraussetzt, und die
Bemerkung über Jesu Herkunft aus Juda (7, 14) soll sich „auf das
allgemein geläufige Faktum der Davidsohnschaft" (Mk 12, 35 ff.;
Rom 1, 3) beziehen (GRÄSSER, o.c. 74). Stellen wie 2, 14–18; 5, 7–10
und 12, 1–3, die Jesu Schicksal mit dem seiner Anhänger in Verbindung bringen, sollen „auf ein paränetisch akzentuiertes Nachfolge-
schema" zurückzuführen sein. Es wird hier die ganz unwahrscheinliche und von einem bestimmten theologischen Interesse geleitete
Voraussetzung gemacht, daß bereits 30 (im Falle der Frühdatierung
des Hebr: s. o. A. III.) oder 50 Jahre (im Falle der Spätdatierung)
nach dem Tode Jesu im Kreise seiner Anhänger keine näheren
Kenntnisse mehr über die Umstände seines Leidens vorhanden gewesen seien, sondern wohl nur noch über das „Daß" seines Todes.

Was die Hinrichtung Jesu außerhalb des Tores (13, 12) betrifft,
so hält O. MICHEL eine Kenntnis der synoptischen Überlieferung

für naheliegend (507, Anm. 3), ebenso J. JEREMIAS (Art. πύλη,
ThWBNT 6, 921), der auf Mk 12, 8 (im Gleichnis von den unge-
treuen Weingärtnern) hinweist. A. VANHOYE macht gegenüber den
Autoren, die an eine Psalmengrundlage unserer Stelle denken
(DIBELIUS: Ps 31, 23; 39, 13; STROBEL: Ps 116 = 114 LXX), darauf
aufmerksam, daß im Psalter weder die Begriffe ἱκετηρία und εὐλάβεια noch die Ausdrücke κραυγῆ ἰσχυρά und δεήσεις...
προσφέρειν zu finden sind. VANHOYE denkt an die synoptischen
Berichte über die Todesangst Jesu in Gethsemane (Mk 14, 33–36)
und am Kreuz (Mk 15, 34) als Hintergrund von Hebr 5, 7–10; insbesondere scheint die κραυγῆ ἰσχυρά 5, 7 eine direkte Reminiszenz
der φωνῇ μεγάλη des sterbenden Jesus zu sein (Mk 15, 34. 37; dagegen D. PETERSON: „Nur die Gethsemane-Überlieferungen bieten
uns ein klares Bild von Jesus, wie er unter tödlicher Bedrohung
steht und einen Ausweg daraus sucht": Hebrews 87).

Bei den Synoptikern ist von „Geschrei" und „Tränen" Jesu in
Gethsemane nicht die Rede. Als mögliche Erklärungen sind erwogen worden, daß der Auctor ad Hebraeos hier die Situation des alttestamentlichen Beters ganz allgemein (LAUB, Bekenntnis 129; vgl.
die alttestamentlichen Parallelen bei TH. BOMAN, Gebetskampf
266f.) oder eine nicht in den Evangelien festgehaltene schriftliche
oder mündliche Tradition (RIGGENBACH 131; SPICQ II, 113; PETER-
SON, Hebrews 87 u. a.) vor Augen hat. Der direkte Bezug des Hebr
auf die Gethsemane-Situation böte jedoch eine nicht ganz abwegige
Erklärung für die alte crux: εἰσακουσθεὶς ἀπὸ τῆς εὐλαβείας 5, 7.
Wenn sich εὐλάβεια (Gottesfurcht; VANHOYE: "profond respect")
auf die dem Vater von Jesus überlassene Wahl: ἀλλ' οὐ τί ἐγὼ θέλω
ἀλλὰ τί σύ (Mk 14, 36) bezieht, dann wurde er tatsächlich erhört.
Mit anderen Worten: In der Tatsache, daß Jesus sein Schicksal Gott
anheimstellt, äußert sich seine εὐλάβεια (ähnlich: A. B. BRUCE 186;
MOFFATT 66; N. R. LIGHTFOOT 109f.); durch sein Leiden lernt er
dann die ὑπακοή, aufgrund deren er durch die Einsetzung in die
Mittlerschaft für die, die nun ihrerseits ihm im Gehorsam nach-
folgen, und in das Hohepriestertum κατὰ τὴν τάξιν Μελχισέδεκ
vollendet wird. Stilistisch entspricht so der fünfgliedrigen Kette der
Verben: προσενέγκας... εἰσακουσθείς... ἔμαθεν... τελειωθείς... προσαγορευθείς, deren jedes dem vorangehenden gegenüber eine Steigerung bedeutet, eine ebenfalls fünfgliedrige Klimax
von Substantiven: Gebete (δεήσεις τε καὶ ἱκετηρίαι), Gottesfurcht
(εὐλάβεια), Gehorsam (ὑπακοή), Urheber ewigen Heils (αἴτιος
σωτηρίας αἰωνίου), Hoherpriester (ἀρχιερεὺς κατὰ τὴν τάξιν

Μελχισέδεκ), welche die wachsende Konformität Jesu mit dem Heilswillen Gottes und die damit sich steigernde Erhöhung zum Ausdruck bringt. Die vorgeschlagene Deutung ist auch mit der Grundbedeutung von εὐλάβεια: „Vorsicht", „Zurückhaltung" (Liddell-Scott: "discretion, caution") zu vereinbaren. Gegenüber allen anderen Konstruktionen ist die berühmte Konjektur HAR-NACKS: οὐκ εἰσακουσθείς, die auch von BULTMANN (Art. εὐλαβής κτλ., ThWBNT 2, 251) übernommen wurde, die weitaus logischste Lösung. ἀπὸ τῆς εὐλαβείας wäre dann allerdings mit: „aus seiner Angst" wiederzugeben (vgl. insbesondere die von P. ANDRIESSEN, Quelques passages, Bibl 51, 1970, 208; Angoisse, NRTh 106, 1974, 282–292 und F. LAUB, Bekenntnis 131 ff. vorgetragenen Lösungen; LAUB übersetzt εὐλάβεια mit „Angst", „Not").

HERBERT BRAUN, in seinem neuen Kommentar, bezieht die Erhörung auf die Auferweckung Jesu; ὁ δυνάμενος σῴζειν αὐτὸν ἐκ θανάτου kann dann, angesichts von Jesu tatsächlichem Tod, nur bedeuten: „aus dem eingetretenen Tode herausreißen, sofern das εἰσακουσθείς gelten soll" (ebd. 141; ähnlich auch PH. E. HUGHES 183–185). Die Konstruktion von BRAUN hat den Nachteil, daß der logische und rhetorische Duktus des Satzes doch erheblich gestört wäre, wenn von der Auferweckung Jesu vor Erwähnung seines Leidens und anschließend dann von seiner Vollendung gesprochen würde.

Demgegenüber scheint die Erklärung ROLOFFS doch näher am Text zu liegen, nach der „die ganze Periode als Relativsatz mit Schwerpunkt auf den zwei finiten Verbformen ἔμαθεν und ἔπαθεν" zu verstehen wäre, „wobei die gesamte Partizipialkonstruktion in v. 7 von ἔμαθεν direkt abhängig wäre, während die Wendung καίπερ ὢν υἱός nicht direkt auf ἔμαθεν, sondern als nähere Umstandsbestimmung auf die Partizipien von v. 7 zurückzubeziehen wäre" (Hohepriester 153 f.). ROLOFF verweist auf ähnliche mit καίπερ eingeleitete Partizipialwendungen in 7, 5 und 12, 17, die auf Vorhergegangenes rückverweisen. Nach unserem oben geäußerten Vorschlag wäre das καίπερ ebenfalls auf die vorangehenden Aussagen zu beziehen und würde dann den Gedanken zum Ausdruck bringen, daß Jesus als der Sohn eigentlich weder Bitten noch Erhörung nötig hat (natürlich auch nicht den Gehorsam, den er als Voraussetzung der hohepriesterlichen Würde erst im Leiden lernt). ROLOFF kommt zu einem ähnlichen Ergebnis, obwohl er den Zusammenhang mit der Gethsemane-Erzählung bestreitet. „Was nämlich in v. 7 zur Debatte steht, ist weder die Begründung der

Gebetserhörung Jesu, noch deren Inhalt, sondern der Umstand als solcher, daß Jesus *als Menschgewordener* 'Bitten und Geschrei' vor Gott bringt und auf das Erhörtwerden 'infolge seiner Gottesfurcht' angewiesen ist, obwohl er doch der präexistente Sohn ist" (o.c. 154). Dem ist gewiß zuzustimmen, nur sagt ROLOFF nicht, worin denn nun die Erhörung genau besteht. (F. LAUB, der ROLOFF auch sonst heftig kritisiert, macht ihm in diesem Zusammenhang den Vorwurf, er lasse „das εἰσακουσθείς mehr oder weniger unter den Tisch fallen": Bekenntnis 132, Anm. 253.) Wir meinen, die Erhörung bestehe darin, daß der Vater ihn *im Leiden* zur Vollendung führte. Das ist genau der Gedanke, der schon in 2, 10 ausgesprochen wird: ἔπρεπεν γὰρ αὐτῷ, δι᾽ ὅν τὰ πάντα καὶ δι᾽ οὗ τὰ πάντα, πολλοὺς υἱοὺς εἰς δόξαν ἀγαγόντα τὸν ἀρχηγὸν τῆς σωτηρίας αὐτῶν διὰ παθημάτων τελειῶσαι. Diese Deutung ist aber nur möglich, wenn man annimmt, daß der Verfasser die Gethsemane-Situation vor Augen hatte: Jesus, der den Vater darum bittet, ihn vor dem Tode zu bewahren (σώζειν αὐτὸν ἐκ θανάτου; vgl. Mk 14, 36: παρένεγκε τὸ ποτήριον τοῦτο ἀπ᾽ ἐμοῦ), es aber doch „in seiner Zurückhaltung" oder „Ehrfurcht" (εὐλάβεια) dem Vater anheimstellt (ἀλλ᾽ οὐ τί ἐγὼ θέλω ἀλλὰ τί σύ, Mk 14, 36), wird eben darin erhört, daß er leiden und im Leiden den Gehorsam lernen muß, um so Hoherpriester für die Seinen zu werden. Die hier entwickelte Auffassung kommt auch dem Anliegen ROLOFFS entgegen, das „christologische Dreistufenschema" der frühkirchlichen Gemeinde zu berücksichtigen (vgl. etwa auch Lk 24, 26: οὐχὶ ταῦτα ἔδει παθεῖν τὸν χριστὸν καὶ εἰσελθεῖν εἰς τὴν δόξαν αὐτοῦ;). Dagegen dürfte die Bemerkung GRÄSSERS (Hist. Jesus 202f.), der Hebr habe kein Interesse am historischen Detail, aber als Theologe ein außerordentlich leidenschaftliches Interesse am historischen Jesus, einzuschränken sein. Der Auctor ad Hebraeos scheint auch Interesse an Einzelheiten der Leidensgeschichte Jesu gehabt zu haben, wo sie für seine Theologie von Bedeutung waren. Ganz deutlich ist das ja bei dem Sterben Jesu ἔξω τῆς πύλης (dagegen LAUB: Der Autor will „hier den Sohn als den in der Passion" ganz allgemein „Erniedrigten und nicht nur als den in Gethsemane Leidenden vor Augen stellen". Die Frage, worin in der Gethsemane-Szene die Erhörung bestanden haben soll, ist nach LAUB „unbeantwortbar": Bekenntnis 127 u. ebd. Anm. 236).

ROLOFF betont zu Recht, daß die Bezugnahmen auf den irdischen Jesus innerhalb des Hebr keine Fremdkörper sind. Sie stehen vielmehr planvoll innerhalb des christologischen Schemas: „Präexistenz – Erniedrigung – Erhöhung" (o.c. 163). Ob der Verfasser allerdings die Hohepriester-Prädikation aus einer vorgegebenen Tradition, etwa dem Gottesdienst (THEISSEN, Untersuchungen 42 ff.), übernommen hat, erscheint doch fraglich (s. dazu auch u. B. III. 3; zur Vorstellung vom hohepriesterlichen Amt nach der Ordnung Melchisedeks vgl. ferner: F. HAHN, Hoheitstitel 232 ff.). Mit Sicherheit gab es in der urchristlichen Tradition die Vorstellung von Jesus als dem *Fürsprecher für die Seinen* vor Gott (Röm 8, 34; 1 Joh 2, 1; 1 Clem 36, 1; 61, 1; 64, 1), die nicht dem Irdischen, sondern dem Erhöhten zugehörte. Dagegen betont LAUB im Anschluß an U. LUCK (Nov. Test. 6, 1963, 194 ff. 205) „die Zugehörigkeit des irdischen Lebens Jesu zu seinem Hohenpriestertum" (s. bes. Bekenntnis 121, Anm. 222; 125, Anm. 233; 142 u. ebd. Anm. 282). Er warnt davor, sich „auf Grund einzelner Aussagen für eine Einsetzung zum Hohepriester zum Zeitpunkt der Erhöhung" zu entscheiden. Dem Hebr liege vielmehr alles daran, „im Hohepriesterbegriff Niedrigkeits- und Hoheitsaussage als unlösbare Einheit erscheinen zu lassen und so das irdische Geschehen im Blick auf eine angefochtene Gemeinde aufzuwerten" (ebd. 121, Anm. 222). Im Rahmen der Hohepriesteranschauung des Hebr ist die Erniedrigung des Sohnes „nicht einfach Vorstufe, sondern selber schon hohepriesterliches Geschehen" (ebd. 135). Deshalb ist die Frage nach dem Zeitpunkt der Einsetzung in das hohepriesterliche Amt „eine falsche Frage" (ebd. 136, Anm. 260).

Diese Auffassung LAUBS, die an allen Ecken und Enden seines Buches ausgesprochen wird oder durchscheint, hängt aufs engste mit seiner fundamentalen These zusammen, daß das Ziel des Hebr vor allem ein paränetisches ist und die Christologie darin eine „paränetische Funktion" hat. Im Text des Hebr findet diese Meinung keinen Rückhalt, und sie steht im Widerspruch zu der besonderen Rolle, die dem zeitlichen Geschehen innerhalb der Christologie und Soteriologie des Hebr zukommt. Näher am Text und der theologischen „Logik" des Hebr scheint doch die Interpretation ROLOFFS zu liegen, nach der das Eintreten des himmlischen Hohenpriesters für die Menschen im oberen, „nicht von Händen gemachten" Heiligtum (9, 11. 24) auf dem Werk des irdischen Jesus beruht. In 5, 10 und 9, 12 wird „das Scharnier" zwischen beiden angegeben: „durch die einmalige geschichtliche Vollendung seines irdischen Weges hat Jesus eine 'ewige Erlösung geschaffen'; er tritt durch sein Sterben ἐφ᾽ ἅπαξ ins himmlische Heiligtum ein, um dort für alle Zeit den Seinen freien Zugang zum Angesicht Gottes zu schaffen" (10, 19 f.;

Hohepriester 164). Nach VANHOYE sagt das τελειωθείς (5, 9) eine «transformation existentielle» Christi aus, die er durch seine Erhebung oder Weihe zum Hohenpriester erst erworben hat (Prêtres anciens 165).

Die Bedeutung der irdischen, zeitlichen Existenz Jesu für das Geschehen der Erlösung behandelt anhand von Hebr 2, 14–18 der wichtige Aufsatz von E. GRÄSSER: Die Heilsbedeutung des Todes Jesu (FS. Dinkler, 1979). Die Menschwerdung wird in die Verben κοινωνεῖν, μετέχειν und ὁμοιωθῆναι gefaßt, nach GRÄSSER Indizien für den gnostisch-mythologischen Hintergrund des Hebr. Nach seiner Auffassung hat der Auctor ad Hebraeos das gnostische Erlösungsverständnis in kritischer Rezeption zur Interpretation des Todes Jesu herangezogen. „Das Ergebnis ist ein Kapitel *theologia crucis*, das sich theologisch nicht hinter Paulus zu verstecken braucht" (o.c. 180; zur Frage des gnostischen Hintergrundes des Hebr s. vor allem o. A. VII. 2. c).

(Der Gedanke, daß Erfahrung durch Leiden gewonnen wird – Hebr 5, 8! – und das Wortspiel mit πάθος und μάθος oder den entsprechenden Verben ist sowohl in der griechischen wie in der alttestamentlich-jüdischen Literatur verbreitet. S. z. B.: Herodot I, 207; Aischylos, Agamemnon 176–178; 249–250; Sophokles, Antigone 926; 1272–1276; 1350–1354; Oedipus Col. 7–8; Trachinierinnen 142–143; vgl. MICHEL 224, Anm. 1; H. DÖRRIE, Leid und Erfahrung; J. COSTE, Notion grecque, RSR 43, 1955).

3. Der Hohepriester

Der Gedanke der Erhöhung Jesu „aufgrund seines Todesleidens" (διὰ τὸ πάθημα τοῦ θανάτου) wird zum erstenmal im Zusammenhang mit seiner Vollendung ausgesprochen in 2, 5–10. Der Bogen spannt sich bis zum Ende des 7. Kapitels, wo der Gedanke der Vollendung einen gewissen Abschluß findet: „Denn das Gesetz setzt als Hohepriester Menschen ein, die Schwachheit an sich haben, das Wort des Schwures jedoch, der zeitlich nach dem Gesetz erfolgte, einen Sohn, der in Ewigkeit vollendet ist" (7, 28). Allerdings enthalten auch die Kapitel 8 und 9 noch wesentliche inhaltliche Aussagen über Erhöhung und Vollendung Jesu als Hoherpriester und sind deshalb vom Vorausgegangenen nicht zu trennen. In der Forschung werden in diesem Zusammenhang vor allem zwei Fragen erörtert. Die erste klang im vorangehenden Abschnitt schon an und betrifft den „Zeitpunkt" der Übernahme des hohepriesterlichen Amtes durch Jesus. Die zweite ist mehr religionsgeschichtlicher Natur: ob der Verfasser des Hebr die Vorstellung von Jesus als Hohempriester in der frühkirchlichen Tradition bereits vorgefunden oder ob er sie selbständig entwickelt hat (vgl. dazu auch o. A. VII. 2. a).

Wie schon erwähnt, sieht VANHOYE aufgrund von 5, 8–9 in der τελείωσις Christi seine Priesterweihe. Diese wurde jedoch nicht in Form eines Konsekrationsritus vollzogen, sondern bestand in einer Verwandlung der Existenz («transformation existentielle»), die mittels der schmerzlichen Ereignisse der Passion verwirklicht wurde (Prêtres 165). Wenn der Hebr die Erhöhung Jesu umschreibt als Durchschreiten der Himmel (4, 14), Hineingehen auf die Innenseite des Vorhanges des himmlischen Heiligtums (6, 19f.; vgl. 9, 12. 24), Sitzen zur Rechten des Thrones der Majestät in den Himmeln (8, 1), so stehen dabei gewiß die urchristlichen Traditionen von Auferstehung und Himmelfahrt im Hintergrund (s. dazu das Kapitel: The Perfecting of Christ: His Exaltation, in PETERSON, Hebrews 104–125). Doch sieht der Auctor ad Hebraeos ähnlich wie der Evangelist Joh die Erhöhung Jesu am Kreuz und die Erhöhung zur Herrlichkeit des Vaters als einen einzigen Vorgang: Χριστὸς δὲ παραγενόμενος ἀρχιερεὺς τῶν γενομένων ἀγαθῶν... διὰ... τοῦ ἰδίου αἵματος εἰσῆλθεν ἐφάπαξ εἰς τὰ ἅγια (9, 11f.; vgl. H. ZIMMERMANN, Bekenntnis 191). Er bezeichnet die Hohepriester-Christologie, die in der Lehre über das Selbstopfer des himmlischen Hohenpriesters gipfelt, als τελειότης (Vollkommenheit, d. h. Lehre für Vollkommene), im Gegensatz zu dem τῆς ἀρχῆς τοῦ Χριστοῦ λόγος, dem θεμέλιον (6, 1). Er macht damit einen Unterschied zwischen exoterischer und esoterischer Lehre (über die Verbindung des Verfassers mit altjüdischer Mystik und Esoterik s. HOFIUS, Vorhang 74).

Im zentralen Teil des 7. Kapitels wird der Unterschied und die Überlegenheit des Priestertums Jesu „nach der Ordnung des Melchisedek" über das levitisch-aaronitische Priestertum dargelegt (7, 11–19). Es ist die Rede von einem Wechsel des Priestertums und einem Wechsel (μετάθεσις) des Kultgesetzes (7, 12) und von einer Außerkraftsetzung (ἀθέτησις) des Gesetzes (7, 18). Die entscheidende Schriftstelle, in der der Verfasser die Notwendigkeit der Einsetzung eines „anderen Priesters" (ἱερεύς ἕτερος: 7, 15) bezeugt sieht, ist Ps 110, 4 (VANHOYE, Prêtres 183 ff.). Allein die Tatsache der Abschaffung des alten schwachen und nutzlosen Kultus κατὰ τὴν τάξιν Ἀαρών, der aber immerhin bis zur Einsetzung des „anderen Priesters" seine Gültigkeit hatte, ist Beweis dafür, daß in der Sicht des Hebr Jesus nicht immer schon Hoherpriester war. Es gab eine Zeit, nämlich die des Alten Bundes, in der der Weg in das Allerheiligste des himmlischen Heiligtums noch nicht erschlossen war (Hebr 9, 8; 10, 20; 11, 39 f.; Hofius, Vorhang 62 ff. 80). Ein zweites gewichtiges Argument dafür, daß die Einsetzung oder Weihe Jesu zum Hohenpriester mit seiner Erhöhung (im doppelten Sinn) zusammenfällt, wurde im vorausgehenden Abschnitt bereits berührt: Jesus hat zwei wesentliche Eigenschaften, die ihn als Hohenpriester für die Menschen qualifizieren, in seinem irdischen Dasein erworben: er wurde ἐλεήμων und πιστός (2, 17 f.). ἐλεήμων: er hat aufgrund seiner Erfahrung Mitgefühl mit den Schmerzen anderer; πιστός: er ist für die Sünder ein vertrauenswürdiger, verläßlicher Sachwalter, weil er selbst die Versuchung kennengelernt hat (vgl. Stadelmann, Christologie 181).

Die mit dem religionsgeschichtlichen Hintergrund der Hohepriester-Christologie zusammenhängenden Fragen wurden im ersten Teil unseres Berichtes bereits behandelt (s. vor allem A. VII. 2. a). Im Anschluß an die Forschungsergebnisse von M. de Jonge und A. S. van der Woude war dort eine Ähnlichkeit der Vorstellungen über den alttestamentlichen Priesterkönig Melchisedek in dem Qumran-Dokument aus Höhle 11 (11QMelch) und dem Hebr festgestellt worden. Es bleibt die Frage, wie der Verfasser des Hebr zu der Vorstellung von Jesus als Hohempriester kam: Hat er sie in der frühchristlichen Theologie bereits vorgefunden? Hatten die qumran-essenischen Melchisedek-Spekulationen einen direkten Anteil an ihrer Ausbildung?

Zwei wichtige Untersuchungen zur Herkunft der Hohepriestervorstellung im Hebr haben in neuerer Zeit Shinya Nomoto (Nov. Test. 10, 1968) und H. J. de Jonge (Nederl. Theol. Tijdschr. 37, 1983) geliefert. In Hebr 2, 17 wird Jesus zum erstenmal ausdrücklich als „Hoherpriester" bezeichnet, der dazu bestimmt ist, „die Sünden des Volkes zu sühnen". Dieser Gedanke wird dann in 4, 14–5, 10 und vor allem in 7, 1–10, 18 näher ausgeführt. Im Anschluß an E. Riggenbach (59 ff.) nimmt Nomoto an, daß der Verfasser schon in 2, 17 die Sühnehandlung des Hohepriesters am Großen Versöhnungstag, wie sie Lev 16 beschrieben ist, als Typus des Heilswerkes Jesu am Kreuz vor Augen hat. Stammt dieser Bezug von dem Auctor ad Hebraeos oder gab es bereits eine diesbezügliche christliche Tradition? Zur Beantwortung dieser Frage weist Nomoto auf Röm 3, 24 hin, wo wahrscheinlich eine vorpaulinische, aus der judenchristlichen Gemeinde stammende Formulierung vorliegt: Der Terminus ἱλαστήριον erinnert an den „Aufsatz" (*kapporeth*) der im Allerheiligsten des Tempels aufgestellten Bundeslade, die am Großen Versöhnungstag mit dem Blut der Opfertiere besprengt wurde. Wenn die Wendung ἐν τῷ αὐτοῦ αἵματι diese Handlung voraussetzt, dann „ist anzunehmen, daß schon die urchristliche Gemeinde das Sterben Jesu als endgültiges Erlösungsgeschehen mit dem typologischen Hinweis auf das alttestamentlich-kultische Bild von der Sühnung am Großen Versöhnungstag gedeutet hat" (o.c. 11). Diese urchristliche Deutungstradition wird dem Verfasser des Hebr bekannt gewesen sein. Wie die Bezeichnung Jesu als „Hoherpriester" entstand, entnimmt Noмото vor allem Hebr 3,1 und 4,14. An beiden Stellen begegnet der Begriff ὁμολογία. Noмото nimmt an, daß damit „eine formelhafte bekenntnisartig-liturgische Tradition der jüdisch-hellenistischen christlichen Gemeinde" gemeint ist, in welcher die Bezeichnung „Hoherpriester" zusammen mit anderen Christustiteln bereits enthalten war und die ihren Sitz in der Gottesdienstfeier hatte (vgl. Hebr 13,15). In bezug auf das Festhalten an der ὁμολογία gebraucht der Verfasser die Verben κρατεῖν (4,14) und κατέχειν (10,23). Aus 3,1 scheint hervorzugehen, daß die Titel „Apostel" und „Hoherpriester" in der Bekenntnisformel einen festen Platz hatten (o.c. 12). Für die Ausbildung der Vorstellung vom Hohenpriester Jesus weist Noмото auf die in der jüdischen Umwelt lebendigen Ideen vom himmlischen Hohenpriester (Melchisedek-Michael) und vom himmlischen Heiligtum hin. Innerhalb des Christentums sieht er das in Röm 8,34 vorliegende Motiv vom Sitzen des erhöhten Christus zur Rechten Gottes als „eine wichtige Vorstufe für die Ausbildung der Hohenpriester-Jesus-Vorstellung" an (o.c. 13). Diese von Ps 110,1 geprägte urchristliche Bekenntnistradition schloß auch das Eintreten, die Fürsprache des erhöhten Christus (ἐντυγχάνειν ὑπὲρ ἡμῶν) mit ein, die Röm 8,34 und Hebr 7,25 fast in gleichem Wortlaut begegnet. Wenn also die Gemeinde im Sitzen des erhöhten Christus zur Rechten Gottes und seiner Fürsprache Ps 110,1 erfüllt sah, dann gewiß auch Ps 110,4 mit dem göttlichen Schwur: „Du bist Priester in Ewigkeit nach der Ordnung Melchisedeks." Für die Übertragung des Hohepriestertums auf Christus durch den Hebr dürfte dann das Eintreten des alttestamentlichen Hohenpriesters ins Allerheiligste am Großen Versöhnungstag als Vorbild maßgebend gewesen sein. Nach Noмото hat der Verfasser die Hohepriester-Christologie so aufgrund der urchristlichen Tradition unter Zuhilfenahme der typologischen Betrachtungsweise weitgehend eigenständig entworfen.

Noch weitergehend bezüglich Originalität und Eigenständigkeit der Hohepriester-Christologie des Hebr sind die Folgerungen, die H. J. DE JONGE mit seinem scharfsinnigen Beitrag gewinnt. Er stimmt mit NOMOTO und anderen überein in der Annahme einer vorpaulinischen Tradition, in welcher das Sitzen zur Rechten Gottes im Sinne von Ps 110, 1 mit dem Motiv der Fürsprache für die Gemeinde bei Gott, wie es Röm 8, 34 und Hebr 7, 25 und 8, 1 zum Ausdruck kommt, kombiniert wurde (Traditie 9). Er bemerkt allerdings vorsichtig, daß der homologische, liturgische Charakter dieser Tradition natürlich nicht strikt beweisbar sei (ebd. 9, Anm. 32). In dieser Tradition, die älter als der Hebr ist, ist mit der Vorstellung Christi als des Fürsprechers auch die Vorstellung verbunden, daß er Hoherpriester im Himmel ist. Daß die Idee vom hohepriesterlichen Amt Christi schon vor der Niederschrift des Hebr entwickelt wurde, ergibt sich daraus, daß der Verfasser sie bei seinen Lesern als bekannt voraussetzt (2, 18; 3, 1). Nach DE JONGE ist nun die Verbindung der Idee mit Ps 110, 4: „Der Herr (Gott) hat geschworen, und es wird ihn nicht gereuen: Du (Christus) bist Priester in Ewigkeit nach der Weise (oder: „nach dem Bilde“, wie der Auctor ad Hebraeos es verstand: s. 7, 15 κατὰ τὴν ὁμοιότητα) Melchisedeks“, *sekundär.* Daß die bereits vorher entstandene Hohepriester-Vorstellung *erst nachträglich* mit Ps 110, 4 in Zusammenhang gebracht wurde, beweist DE JONGE vor allem damit, daß die Verbindung inkonsistent und nicht organisch ist; denn der Psalm sagt: „Du bist Priester“ (ἱερεύς), und nicht: „Hoherpriester“ (ἀρχ-ιερεύς). Allein hieraus wird zur Genüge deutlich, daß die Vorstellung von Jesu Hohepriestertum ursprünglich unmöglich aus Ps 110, 4 abgeleitet worden sein kann (Traditie 10). Der Auctor ad Hebraeos löst das Problem, indem er in den Paraphrasen der Psalmstelle das Wort „Priester“ durch „Hoherpriester“ ersetzt (vgl. 5, 6 mit 5, 10 und 6, 20!). DE JONGE hält es für nicht undenkbar, daß die Verbindung von Christi Hohepriestertum mit Ps 110, 4 das Werk des Verfassers selbst ist (o.c. 11).

Noch einen anderen urchristlichen Gedanken hat der Auctor ad Hebraeos in seine Hohepriester-Christologie aufgenommen. Nach 1 Kor 15, 3 hat Christus die Sünden der anderen vor Gott gesühnt; nach Röm 3, 25; 5, 9 galt sein Blut als Sühnopfer; nach Eph hat sich Christus selbst als Opfergabe und Schlachtopfer dargebracht (5, 2). Der Verfasser hat die an sich schlecht zu vereinigenden Vorstellun-

gen, daß Christus Opfer und daß er Hoherpriester ist, miteinander
kombiniert. Aufgrund der Verbindung dieser beiden total verschiedenen Überlieferungen kann der Hebr von dem himmlischen Hohenpriester sagen, daß „er sich selbst als Opfer darbrachte" (7, 27;
9, 14. 24–26) und das Bild gebrauchen, daß Christus „aufgetreten
als Hoherpriester ... mit seinem eigenen Blut in das Heiligtum
eingetreten ist" (9, 11 f.; o.c. 11 f.).

Nach Auffassung von DE JONGE hat sodann die Verbindung der
Anschauung von Christus als dem Hohenpriester mit Ps 110, 4 den
Verfasser des Hebr veranlaßt, auf die Beschreibung Melchisedeks in
Gen 14, 17–20 zurückzugreifen. Mit Hilfe der allegorischen Aus-
legungsmethode gewann er ein Bild von Melchisedek als überirdi-
scher Gestalt. H. J. DE JONGE wendet sich gegen die von M. DE
JONGE und A. S. VAN DER WOUDE entwickelte Hypothese, nach der
die in dem Qumran-Fragment 11QMelch greifbare Vorstellung von
einem himmlischen Krieger, einem (Erz-)Engel Melchisedek den
Hebr beeinflußt haben könnte; vielmehr sei der Gedanke von der in
Ewigkeit dauernden Existenz Melchisedeks allein aus Ps 110, 4 εἰς
τὸν αἰῶνα abgeleitet. Aus dem Psalm las der Auctor ad Hebraeos
heraus, daß Christus „nach dem Ebenbild Melchisedeks für ewig
Priester war". Daraus zog er die Konsequenz, daß auch Melchisedek ein ewiger Priester war. Unter Zuhilfenahme der allegorischen
Interpretation fand er dann die ewige Priesterschaft Melchisedeks in
Gen 14 bestätigt. Nach H. J. DE JONGE ist es somit „unnötig anzunehmen, daß diese Schriftexegese durch eine Tradition von einem
Erzengel Melchisedek beeinflußt ist, wie wir sie in 11QMelch
vorfinden" (Traditie 14).

Die These, daß die Herkunft der Vorstellung von Melchisedek als
einem himmlischen Wesen und ewigen Priester letztlich allein aus
der allegorischen Auslegung von Gen 14 anhand von Ps 110, 4 ab-
zuleiten sei, betont DE JONGE auch gegenüber LOADER, der es für
möglich hält, „daß der Verfasser des Hebr. sie aus irgendeiner Tradition gekannt hat" (Sohn 220). Der Gedanke der ewigen Priesterschaft Melchisedeks stammt letztlich aus einem Mißverständnis von
Ps 110, 4: „nach dem Ebenbild von" wird von dem Hebr zu Unrecht auf die *Dauer* von Melchisedeks Amt, anstatt auf seine *Doppelfunktion* als Priesterkönig bezogen (Traditie 14, Anm. 45). Was
die konkrete Vorstellung des Auctor ad Hebraeos von der Gestalt
Melchisedeks betrifft, so nimmt DE JONGE an, daß er ihn nicht für
einen Erzengel gehalten, andererseits aber auch nicht als abstraktes
Idealbild angesehen habe. DE JONGE vermutet, daß er in ihm eine

wirkliche geschichtliche Persönlichkeit sah. Obwohl er von ihm
sagt, daß er weder ein Lebensende noch einen Beginn seiner Tage
hatte (7, 3), stellt er sich die Frage nach dem Lebensende (wurde er
aufgenommen wie Henoch und Elias?) und der Präexistenz nicht.
DE JONGE nimmt jedoch an, daß der Verfasser Melchisedek als
präexistentes und ewiges Wesen angesehen hat.

Wir haben die Hypothese H. J. DE JONGES in aller Ausführlichkeit dargestellt, weil sie uns der bislang bedeutendste Beitrag zur
Frage nach Herkunft und Entstehung der Hohepriestervorstellung
des Hebr zu sein scheint. Sie berücksichtigt alle in der früheren Forschung zu dem Gegenstand behandelten Probleme und gibt eine in
sich schlüssige Lösung. Sie ist gleichwohl nicht mehr als ein möglicher Erklärungsversuch, bei dem die Frage bleibt: Sollte der Auctor
ad Hebraeos, der eine so umfassende Kenntnis der außerbiblischen
jüdischen Tradition hatte, tatsächlich von den zweifellos älteren
Melchisedek-Spekulationen nichts gewußt haben? Auch scheint die
Rekonstruktion der einzelnen gedanklichen Schritte, mit denen er
zu seiner Vorstellung von Melchisedek gekommen sein soll, zu sehr
im Bereich bloßer Vermutung angesiedelt zu sein.

IV. Der himmlische Kultus und der neue Bund

Im 8. und 9. Kapitel des Hebräerbriefes wird der von dem himmlischen Hohenpriester vollzogene Kultus beschrieben. Der zur
Rechten Gottes sitzende Christus wird als „Liturge am Heiligtum
und am wahren Zelt" (8, 2), „Mittler eines höheren" (8, 2), „des
neuen Bundes" (9, 15) bezeichnet. Der Terminus λειτουργός bringt
zum Ausdruck, daß seine Tätigkeit als noch im Gange befindlich
betrachtet wird (so SPICQ II, 234; W. E. BROOKS, Perpetuity 214),
gegen W. STOTT (Conception 66 f.), der aus der Tatsache, daß der
Verfasser von dem „Sitzen" Jesu spricht, den Schluß zieht, der
Hebr sehe die Sühnetätigkeit Jesu als beendet an. Die beiden sich
widersprechenden Bilder von Sitzen und Eintreten ("session and
intercession"), d. h. des vor dem Angesicht Gottes fürsprechend
stehenden Priesters (vgl. 9, 24) und des zu seiner Rechten sitzenden
Königs (vgl. 8, 1), sind auch Gegenstand der Erwägungen von J. H.
DAVIES (Heavenly Work 388 f.). Nach DAVIES hat der Verfasser bei
der Beschreibung des himmlischen Kultus Christi die drei großen
Gelegenheiten im Auge, bei denen im Alten Testament Blut ge-
sprengt wurde: den Bundesschluß am Sinai in Ex 24 (Hebr 9, 13.

19), die Weihe der Stiftshütte in Ex 29 und Lev 8 (Hebr 9, 21) und den Ritus am Großen Versöhnungstag in Lev 16 (Hebr 9, 12. 25). Wenn er auch den Eintritt Jesu διὰ τοῦ ἰδίου αἵματος (9, 12) nicht näherhin beschreibt – etwa so, daß Christus sein Blut hineingetragen und den Thron der Gnade besprengt hätte, so könnte er es sich doch so vorgestellt haben. Vielleicht wollte er aber den Vergleich mit dem irdischen Ritus nicht bis in alle Einzelheiten durchführen. Der Grund für die Vereinigung der Vorstellungen von Eintreten und Thronen ist nach Meinung von DAVIES in Psalm 110 zu suchen: 110, 1 bittet Gott den Herrn, zu seiner Rechten Platz zu nehmen; 110, 4 erklärt er ihn zum Priester auf ewig.

Die himmlische Opfertätigkeit Christi wird hauptsächlich mit dem Verb προσφέρειν beschrieben. Das Objekt ἑαυτόν zeigt an, daß es sich um ein Selbstopfer handelt (7, 27; 9, 25. 28; vgl. 10, 12. 14). Für „Opfer" stehen die Synonyma θυσία (9, 26; 10, 12) und προσφορά (10, 10. 14). Das Opfer ist ein Sühnopfer für die Sünden und ganz betont nur ein einziges, das ἐφάπαξ geschieht (DAVIES, Heavenly Work 386). Obwohl der Tod Christi von eminenter Bedeutung ist, wird doch nirgendwo eine ausdrückliche und ausschließliche Identifikation von Opfer und Tod gemacht (in 9, 15 vielleicht noch am ehesten). Jesu Tod wird nicht von seinem Erdenleben (9, 26; 10, 9) und den vorausgegangenen Versuchungen (2, 17f.; 4, 15) isoliert, deren Steigerung er ist: All das ist im Opfer eingeschlossen. Aber auch was folgt, Jesu Eintritt in den Himmel, ist nicht von seinem Tode getrennt. Dennoch ist wohl der Eintritt Jesu an einigen Stellen das entscheidende Ereignis, eher als sein Tod: „προσφέρειν wird manchmal vom Eintreten in den Heiligen Ort gebraucht, ganz als ob dies der wichtigste Teil des Opfers wäre" (DAVIES, o.c. 387). So bezieht sich in 9, 7 προσφέρει auf das Darbringen des Blutes durch den alttestamentlichen Hohenpriester nach dem Betreten des Allerheiligsten. In 9, 25 zeigt die Antithese von Christus (οὐδ' ἵνα πολλάκις προσφέρῃ ἑαυτόν) und dem Hohenpriester (ὥσπερ ὁ ἀρχιερεὺς εἰσέρχεται... ἐν αἵματι ἀλλοτρίῳ), daß προσφέρῃ und εἰσέρχεται ἐν αἵματι synonym gebraucht sind. Schließlich weist der Parallelismus in 13, 11–13 in die gleiche Richtung: „Jesu Tod entspricht der Verbrennung der Körper außerhalb des Lagers, dagegen entspricht die Heiligung des Volkes durch sein Blut – d. h. das Erlösungswerk – dem Hineinbringen des Blutes (εἰσφέρεται) in das Allerheiligste" (o.c. 387). Der Nachdruck, den der Verfasser auf das Blut Christi als Mittel zu dessen eigenem Eintritt (9, 12) und als Mittel der Reinigung für die

Gläubigen (9, 14) und ihres Zutritts (10, 19) legt, zeigt, daß für ihn der Eintritt mit dem Blut der wesentliche Teil des Opfers war. Diese Vorstellung wurde auf dem Hintergrund des Ritus des Großen Versöhnungstages, wie er Lev 16 beschrieben wird, entwickelt. Die entscheidende Handlung bei diesem Ritus war für ihn der Zugang zu Gott, der im Eintritt des Hohenpriesters mit dem Blut vollzogen wurde. Entsprechend ist Christi Eintritt durch sein und mit seinem Blut das entscheidende Ereignis, das den Gläubigen den Weg zu Gott öffnet (DAVIES, ebd.; ähnlich auch BROOKS, Perpetuity 211 f., der die wichtige Bemerkung macht: „Das himmlische Opfer gab es nicht schon immer. Es wurde in den Himmel eingeführt, als Christus den Vorhang durchschritt"; ferner: J. SMITH, Priest 95/96, Anm. 37).

Die Vorstellung des Hebr vom Eintritt des Hohenpriesters Jesus durch den Vorhang in das Allerheiligste des himmlischen Heiligtums (6, 19 f.; vgl. 10, 19 f.) hat O. HOFIUS in seiner Untersuchung: „Der Vorhang vor dem Thron Gottes" (1972) hinsichtlich ihres religionsgeschichtlichen Hintergrundes eingehend behandelt. Dabei fällt auch Licht auf Denkweise und Theologie des Auctor ad Hebraeos. Er spricht 10, 19 von der „zuversichtlichen Hoffnung" (παρρησία), daß die Gläubigen in das himmlische Heiligtum einziehen werden. Diese Hoffnung und das Eintreten selbst sieht er begründet ἐν τῷ αἵματι 'Ιησοῦ, „d. h. in dem hohenpriesterlichen Selbstopfer Jesu, durch das wir zum priesterlichen Zutritt zu Gott ermächtigt sind" (HOFIUS, o.c. 80). Einen „noch nicht dagewesenen und lebendigen Weg" (ὁδὸν πρόσφατον καὶ ζῶσαν) zum Allerheiligsten Gottes hat Jesus eröffnet, indem er „durch den Vorhang hindurch" das Allerheiligste betrat. Mit πρόσφατος bezieht sich der Verfasser auf 9, 8, wo gesagt wurde, daß im Alten Bund der Zugang zum Allerheiligsten des himmlischen Heiligtums noch verschlossen war. Die Worte τῆς σαρκὸς αὐτοῦ (10, 20b) werden von E. KÄSEMANN und anderen Auslegern als Apposition zu διὰ τοῦ καταπετάσματος aufgefaßt. C. SPICQ (II, 316) und nach ihm P. ANDRIESSEN (ANDRIESSEN-LENGLET, Quelques passages, Bibl 51, 1970, 214 f.; ANDRIESSEN, Das größere und vollkommenere Zelt, BZ 15, 1971, 76 ff.) meinen, daß τοῦτ' ἔστιν τῆς σαρκὸς αὐτοῦ auf ὁδόν zu beziehen sei.

Demgegenüber scheint die Interpretation der schwierigen Stelle, die HOFIUS gibt, die überzeugendste zu sein (vgl. auch seinen Aufsatz: „Inkarnation und Opfertod Jesu" in der FS. Jeremias, 1970). Nach HOFIUS liegt in v. 20b eine *Brachylogie* vor: Die Präposition διά ist vor τῆς σαρκὸς αὐτοῦ noch einmal zu ergänzen. Die Wiederaufnahme erfolgt jedoch *inkonzinn* zum Vorhergehenden: διὰ τοῦ καταπετάσματος ist *lokal* zu fassen, τοῦτ᾿ ἔστιν (διὰ) τῆς σαρκὸς αὐτοῦ hat jedoch instrumentale Bedeutung. V. 20 weist eine chiastische Struktur auf:

(a) ἐνεκαίσεν ἡμῖν
(b) ὁδὸν πρόσφατον
(b) διὰ τοῦ καταπετάσματος,
(a) τοῦτ᾿ ἔστιν (διὰ) τῆς σαρκὸς αὐτοῦ.

Daraus ergibt sich für HOFIUS die folgende grammatisch-syntaktische Analyse von v. 20: „Die lokale präpositionale Bestimmung διὰ τοῦ καταπετάσματος ist von ὁδός abhängig und erläutert die Epitheta πρόσφατος und ζῶσα; das vor τῆς σαρκὸς αὐτοῦ zu ergänzende instrumentale διὰ bezieht sich auf das Verbum ἐνεκαίνισεν, und die Wendung (διὰ) τῆς σαρκὸς αὐτοῦ gibt an, wodurch der neue und lebendige Weg geschaffen ist" (o.c. 81 f.). V. 20a besagt also, daß Jesus einen neuen und lebendigen Weg eröffnet durch den Vorhang hindurch in das himmlische Allerheiligste, d. h. in die unmittelbare Nähe Gottes. V. 20b erläutert: Jesus hat dies „durch sein Fleisch" getan. HOFIUS sieht in den Worten τοῦτ᾿ ἔστιν (διὰ) τῆς σαρκὸς αὐτοῦ einen Hinweis auf die Inkarnation, möchte aber auch eine Deutung auf den Tod Jesu am Kreuz nicht ausschließen. Die Worte wären dann zu übersetzen: „durch die Hingabe seines Fleisches" (o.c. 82).

Der Interpretation von HOFIUS haben N. H. YOUNG (NTS 20, 1973) und neuerdings H. BRAUN in seinem Kommentar heftig widersprochen. Nach YOUNG sind die grammatischen Gründe, τῆς σαρκὸς αὐτοῦ als erklärende Apposition zu καταπέτασμα aufzufassen, zwingend (o.c. 104). Ebenso wie YOUNG meint BRAUN, es führe kein Weg an einer Gleichsetzung von „Vorhang" und „Jesu Fleisch" vorbei. „So läßt Jesus, ins himmlische Heiligtum auf dem Weg durchschreitend, sein Fleisch wie den ersten Zeltteil und den Vorhang hinter sich. Sie sind heilshindernd, nicht heilsfördernd ... Die Gnosisnähe liegt auf der Hand" (307f.).

Für die Deutung von HOFIUS, die von der Annahme einer Brachylogie in 10, 20b ausgeht, spricht dagegen auch der Vergleich mit 9, 11f., wo der gleiche Gedanke, ebenfalls in chiastischer Struktur, aber ungekürzt, ausgesprochen ist. Der Argumentation von HOFIUS schließt sich auch ZIMMERMANN (Bekenntnis 205f.) an. ZIMMERMANN bietet auch eine ausführliche Interpretation des 9. Kapitels „als Höhepunkt der Hohepriester-Christologie" des Hebr (o. c. 181–202).

V. *Schöpfung und Eschatologie*

Von der Schöpfung der Welt spricht der Hebräerbrief vor allem an zwei Stellen: 1, 2 f. und 11, 3 (weiterhin ist noch die Rede von Gottes Schöpfertätigkeit und der Erhaltung der Welt in 1, 10; 3, 4; 4, 3; 11, 10). Beide Male ist die Schöpfung mit Gottes Wort (ῥῆμα) in Verbindung gebracht, womit auf die Rolle des Sohnes bei der schöpferischen bzw. welterhaltenden Tätigkeit Gottes hingewiesen wird (R. A. STEWART, Creation 290; H. BRAUN 167): Jesus ist sowohl Schöpfungsmittler als auch Erhalter der Welt (vgl. auch o. B. III. 1). An beiden Stellen ist auch von den „Welten" (τοὺς αἰῶνας) *im Plural* die Rede. BRAUN hat eine Fülle von Parallelen aus der alten jüdischen, rabbinischen und christlichen Gebetsanrede an Gott, den König und Vater der Welten, zusammengestellt (23). In Hebr 1, 2 ist nach seiner Meinung wie in 1, 10; 3, 4 und 11, 3 an die Vielzahl der Welträume, aber nicht speziell an die jetzige und die kommende Welt zu denken. Letzteres liegt auf der Linie rabbinischen Denkens und war schon von WESTCOTT angenommen worden. STEWART glaubt, daß die Dualität zweier Welten im Sinne Platons und Philos, der geistigen und der sinnlichen, die zueinander im Verhältnis von Urbild und Abbild stehen, die zutreffende Erklärung für den Plural τοὺς αἰῶνας ist (Creation 288).

Der schwierige Vers 11, 3 birgt eine Menge interpretatorischer und sachlich-theologischer Probleme in sich und gab Anlaß zu unzähligen Erörterungen, wovon wir hier nur einiges herausgreifen wollen. Zunächst: Was bedeutet v. 3b: εἰς τὸ μὴ ἐκ φαινομένων τὸ βλεπόμενον γεγονέναι? Nach FRANZ MUSSNER gehört die Negation zum Verbum γεγονέναι, und er übersetzt dementsprechend: „Im Glauben erkennen wir: geschaffen wurden die Äonen durch Gottes Wort, damit nicht aus Erscheinungen (= aus der sichtbaren Welt) das Sichtbare geworden ist" (Zur theologischen Grundfrage 56). Doch haben schon Chrysostomus (MG 63, 154) und Theodoret (MG 82, 757 C) das μὴ zu φαινομένων gezogen. Zutreffend bemerkt H. BRAUN: „Ob μὴ das φαινομένων . . . oder das γεγονέναι verneint, verändert nicht den Sinn, sondern nur die Gezieltheit der Formulierung: das Sichtbare ‚entstand aus dem Unsichtbaren' oder ‚entstand nicht aus dem Sichtbaren'" (342). Auch ist wohl konsekutiv, nicht final zu übersetzen: „Durch Glauben erkennen wir: die Welten sind durch Gottes Wort hergestellt; und so ist aus nicht wahrnehmbaren Dingen das Sichtbare hervorgegangen" (BRAUN 340). Das Unsichtbare ist für den Hebr kein μὴ ὄν. Deshalb ist Hebr

11, 3 kein Beleg für eine creatio ex nihilo; vielmehr: „das Unsichtbare als das Überlegene ist der Ursprung (ἐϰ) des minderen Sichtbaren" (o.c. 342; ähnlich Ph. E. Hughes, Doctrine of Creation 65ff. 76, der die Stelle auch unter systematisch-theologischen Gesichtspunkten behandelt). Nach Braun kommt der Hebr hier der Auffassung Philos sehr nahe, für den der unkörperliche und geistige Kosmos das Modell des in Erscheinung tretenden, nur aus Körpern bestehenden Kosmos ist (Conf. Ling. 172).

Vielleicht wird der Nachsatz v. 3b aber doch verständlicher, wenn man ihn mit Klaus Haacker (Creatio ex auditu, ZNW 60, 1969, 279ff.) nicht auf νοοῦμεν, sondern auf πίστει . . . ϰατηρτίσθαι bezieht. Der ganze v. 3 wird dann als erstes Beispiel der Reihe von Glaubenszeugen für die fides qua creditur, die in v. 1 beschrieben ist, aufgefaßt: „Unter der Voraussetzung, daß Gott das Nichtseiende ruft, ist es denkbar, daß die Wirkung des Schöpfungswortes einmal nicht magisch-kausal verstanden wurde, sondern personal, als Antwort auf Gottes Wort. Diese Antwort konnte dann wie Abrahams Aufbruch ins Ungewisse (v. 8) als ‚Glaubensgehorsam' gedeutet werden. Das Geschaffenwerden auf das Wort hin wäre dann der ‚Glaubensakt', der aus theologischen wie chronologischen Gründen am Anfang der Paradigmenreihe von Hbr 11 stünde." Entsprechend übersetzt Haacker: „Durch Glauben ist, wie wir erschließen, die Welt durch Gottes Wort geschaffen worden, so daß nicht aus vor Augen Liegendem das Sichtbare entstanden ist" (o.c. 280). Braun, der betont, daß das Heil historische *und* kosmische Dimensionen habe, folgt gleichwohl nicht der Interpretation von Haacker. Er äußert zwei Einwände: „πίστει und ῥήματι würden sonst konkurrieren; und: wie sollte solch ein Glaube für Menschen paränetisch verwertbar sein?" (341). Zum ersten: πίστει und ῥήματι konkurrieren nicht, da ῥήματι das Wort Gottes, πίστει . . . ϰατηρτίσθαι die Antwort der ins Dasein tretenden Welten bezeichnet. Zum zweiten scheint uns der Schlußsatz von Haackers kleinem inhaltsreichen Aufsatz erwägenswert zu sein: „Hbr 11, 3 ist ein großer Gedanke einer christlichen Weisheitslehre, der in unserem heutigen Fragen nach einer umfassenden theologischen Deutung von Natur und Geschichte Beachtung verdient" (o.c. 281).

Die Eschatologie des Hebr wird von vielen Forschern im Rahmen ihrer Darstellungen der Christologie und Soteriologie behandelt. Thematisch und eingehend wurde sie vor allem untersucht von C. K. Barrett (Eschatology, 1956), Bertold Klappert (Eschatologie, 1969) und Jerome Smith (A Priest for Ever, 1969). Sie ist in engstem Zusammenhang mit der Christologie und Soteriologie unseres Autors zu sehen. BARRETT betont den doppelten Charakter der Eschatologie, die sowohl den Aspekt des bereits Erfüllten wie den des noch Erhofften enthält: „Der durch Jesu Selbstopfer ins Leben gerufene Bund ist die Erfüllung der Prophetie, d. h. er ist ein eschatologischer Bund. Wie die Sabbatruhe und die Pilgerschaft des Glaubens zur Stadt Gottes gehört er in den Bereich der einen christlichen Eschatologie, die zum Teil erfüllt ist und zum Teil nach vorwärts blickt" (o.c. 384). BARRETT umreißt den eschatologischen Gehalt des himmlischen Opferdienstes Jesu, wie er Hebr 9, 24–28 beschrieben ist: „Er trat ein (εἰσῆλθεν), jetzt (νῦν), um vor Gott zu erscheinen; er offenbarte sich ‚jetzt, einmal, bei der Vollendung der Zeiten' (νυνὶ δὲ ἅπαξ ἐπὶ συντελείᾳ τῶν αἰώνων). Dieses ‚einmal' bezieht sich auf ein eschatologisches Ereignis, das geschehen ist, und darauf folgt die feste Versicherung eines eschatologischen Ereignisses, das erst noch kommen soll – die Wiederkehr Christi (ὀφθήσεται τοῖς αὐτὸν ἀπεκδεχομένοις)" (ebd. 385).

Der Gegensatz zwischen dem gegenwärtigen und dem zukünftigen Äon spielt im Hebr eine große Rolle. Eng damit verbunden sind die Ideen von Zeit und Ewigkeit. Das Wort „ewig" (αἰώνιος) bezieht sich häufig auf die Heilswirksamkeit des Todes Christi (5, 9; 9, 12; 9, 15; 13, 20) und ist somit eschatologisch, nicht im Sinne platonischer Zeitlosigkeit zu verstehen (J. SMITH, Priest 160 f.). Auch das Substantiv αἰών hat eschatologische Bedeutung: 6, 4 f. spricht von den Kräften des kommenden Äons, 9, 26 vom Kommen Christi am Ende der Äonen. Die sichtbare, raum-zeitliche Welt ist vergänglich, erschütterbar. Sie muß eines Tages der unerschütterlichen οἰκουμένη (12, 27; vgl. 2, 5; 1, 6), der Stadt Gottes (vgl. 13, 14), Platz machen (SMITH, o.c. 164 ff. im Anschluß an VANHOYE, L'oikoumenē).

B. KLAPPERT, der die gesamte Diskussion um die Eschatologie sorgfältig aufgearbeitet hat, konzentriert sein Hauptinteresse auf die „Frage nach der Zuordnung der alexandrinisch-dualistischen und futurisch-apokalyptischen Begrifflichkeit" im Hebr. Seine Sicht und Lösung der Frage formuliert er folgendermaßen: „Das apokalyptisch-urchristliche Denken bedient sich also im Hebräerbrief vertikal-hellenistischer Denkformen im Sinne einer Radikalisierung der urchristlich-apokalyptischen Horizontale, wobei die hellenistischen Denkformen aber streng innerhalb der Klammer urchristlich-apokalyptischen Denkens bleiben" (Eschatologie 52). Die eschatologische Existenz der Gemeinde kann nur innerhalb des eschatologischen Christusgeschehens begriffen werden. Christus selbst ist noch auf dem Wege zu seiner Herrschaft (1, 13); noch ist ihm nicht alles unterworfen (2, 8); auch liegen ihm seine Feinde noch nicht zu Füßen (10, 13). Auch die Gemeinde steht noch in der Anfechtung, geht dem eschatologischen πειρασμός entgegen (12, 1–11). KLAPPERT beschreibt die eschatologische Beziehung der Gemeinde zu Christus zusammenfassend: „Ist das Werk Christi als hohepriesterliches Selbstopfer das kultisch-eschatologische ‚Schon-jetzt‘ der Gemeinde, so begründet die aus Leiden erlangte δόξα des Hohenpriesters und die damit gesetzte futurisch-eschatologische Differenz zwischen dem Leiden der Gemeinde und der Vollendung Christi ihr Hoffnungsziel" (o.c. 55). Das τελειοῦν, das Christus durch seine Erhöhung erlangte, ist für die Gemeinde noch Gegenstand der Hoffnung. Christus als der τελειωθείς (5, 9) wird zum τελειωτής (12, 2) der Gemeinde (vgl. 11, 40 von den alttestamentlichen Heiligen: ἵνα μὴ χωρὶς ἡμῶν τελειωθῶσιν: damit sie nicht ohne uns zur Vollendung gelangen).

Aufgrund seiner Interpretation des Hebr auf dem Hintergrund des gnostischen Erlösermythos betont E. KÄSEMANN (Gottesvolk 90) die Koinzidenz von „vollenden" (der Söhne) und „vollendet werden" (des Erlösers). Dagegen stellt KLAPPERT fest, daß Christus erst als τελειωθείς der τελειωτής (= αἴτιος τῆς σωτηρίας, 5, 9) wird. Demnach ist für den Hebr die bereits abgeschlossene Vollendung (Erhöhung) die Voraussetzung für das noch ausstehende, von der Gemeinde erhoffte Vollendetwerden durch den τελειωτής (o.c. 55 f.).

VI. Christliche Existenz

1. Glauben

Über die Glaubensvorstellung des Hebräerbriefes kann man nicht sprechen, ohne zuallererst an die berühmte Beschreibung („Definition") des Glaubens am Anfang des 11. Kapitels zu denken. H. BRAUN übersetzt: „Es ist aber Glaube Verwirklichung von Erhofftem, Beweis für Dinge, die man nicht sieht" (337). Die Wiedergabe von ὑπόστασις mit „Verwirklichung" im Kommentar eines evangelischen Gelehrten ist insofern bemerkenswert, als sie den vorläufigen Endpunkt einer langen Übersetzungs- und Bedeutungsgeschichte dieses Wortes seit der Reformation zu markieren scheint. Auf den Rat Melanchthons hatte Luther das Wort in Hebr

11, 1 wie auch in 3, 14 mit „gewisse Zuversicht" wiedergegeben. Den seither zurückgelegten Weg beschreibt H. Köster (Art. ὑπόστασις, ThWBNT 8, 584 f.):

„Während die gesamte altkirchliche und mittelalterliche Exegese davon ausging, daß ὑπόστασις mit substantia zu übersetzen bzw. im Sinne von οὐσία zu verstehen sei, kam mit Luthers Übersetzung ein ganz neues Element in das Verständnis von Hebr 11, 1: Glaube wird nun als persönliches, subjektives Überzeugtsein gefaßt. Diese Auslegung hat die protestantische Interpretation dieser Stelle fast durchweg beherrscht und die katholische Exegese sehr stark beeinflußt und ist auch über den deutschen Sprachraum hinaus nicht ohne Wirkung geblieben. Es kann aber jetzt nicht mehr zweifelhaft sein, daß diese klassisch gewordene protestantische Auslegung unhaltbar ist." (Für die kurz vor Luther noch übliche Deutung vgl. die Paraphrase von Wendelin Steinbach, Comm. in Ep. ad Hebr., fol. 172r: „Fides est salutis inicium et inchoacio quedam vite eterne faciens nos cognoscere speranda, quia sunt, et quod possibile est nos ea consequi et nancisci ut bonum nostrum.")

Unter Hinweis auf die Forschungsergebnisse von M. A. Mathis (The Pauline Πίστις-ʽΥπόστασις according to Hb 11, 1. Diss. Washington 1920; ders., Does "substantia" mean "Realization" or "Foundation" in Hebr 11, 1? Bibl 3, 1922, 79–89), R. E. Witt (ʽΥπόστασις, in FS. R. Harris, 1933, 319–343) und H. Dörrie (ʽΥπόστασις, 1955) legt Köster dar, daß ὑπόστασις im Blick auf das parallel stehende ἔλεγχος gedeutet werden muß. ἔλεγχος aber gibt keine subjektive Überzeugung wieder, sondern heißt im objektiven Sinne: „Beweis". Wie der ἔλεγχος der πράγματα οὐ βλεπόμενα der Beweis ist für die Dinge, die man nicht sieht, d. h. die himmlische Welt, so ist ὑπόστασις ἐλπιζομένων „die Wirklichkeit der erhofften Güter, die ja ihrem Charakter nach jenseitige Qualität haben" (Köster, o.c. 585).

Die Deutung Kösters setzt den durch Komma angezeigten gedanklichen Einschnitt hinter ὑπόστασις, nicht hinter πραγμάτων, worüber bei den neueren Exegeten Einmütigkeit zu bestehen scheint (o.c. 584, Anm. 128; s. auch Braun 338).

Der mächtige Einfluß der Deutung Luthers zeigt sich bis heute in zahlreichen deutschen und vor allem auch englischen Bibelübersetzungen. Die immer noch häufig benutzte und ansonsten vorzügliche Übersetzung von Hermann Menge (1963) hat: „ein zuversichtliches Vertrauen auf das, was man hofft, ein festes Überzeugtsein von Dingen (oder: Tatsachen), die man (mit Augen) nicht sieht"; die ›Zürcher Bibel‹ (1966): „eine Zuversicht auf das, was man hofft, eine Überzeugung von Dingen, die man nicht sieht"; ebenfalls sehr subjektivistisch (und falsch) die ›Einheitsübersetzung‹ der Katholischen Bibelanstalt (1980): „Feststehen in dem, was man erhofft, Überzeugtsein von Dingen, die man nicht sieht."

O. Michel übersetzt in seinem Kommentar (368): „Es ist aber der Glaube ein Unterpfand für Gehofftes und ein Überführtsein von Dingen, die man nicht sieht." In seiner Erläuterung umschreibt er ὑπόστασις mit: „Unterpfand, Gewähr, Garantie". Michels Deutung ist durchaus schwankend. Einerseits lehnt er die zu subjektive Wiedergabe mit „Vertrauen, Zuversicht" ab und betont, ὑπόστασις bringe „eine objektive Wirklichkeit zum Ausdruck, die durch nichts zerstört werden kann". Andererseits darf der Glaube „nicht als Kraft verstanden werden, die dem Gehofften Realität verleiht, wie die Kirchenväter oft in diesem Sinn deuteten" (373).

In den Erwägungen Michels zeigt sich das tatsächliche Dilemma, das seinen Grund im Denken des Hebr selbst hat, welches eine säuberliche Scheidung zwischen „subjektiv" und „objektiv" nicht erlaubt. Denn natürlich liegt in dem Glaubensbegriff des Hebr auch ein subjektives Moment: Die „Wirklichkeit des Erhofften" und das „Überführtsein von Dingen, die man nicht sieht" findet ja in den glaubenden Individuen statt, wie auch die im 11. Kapitel folgende Reihe der „Alten" zeigt.

Für diese „Wolke von Zeugen" (12, 1) gilt: Sie halten sich an eine Wirklichkeit, die man nicht sehen kann, deren Realisierung noch aussteht (vgl. Braun 338). Wie sich am Beispiel von Moses sehr deutlich zeigt, der „die Schmach Christi für einen größeren Reichtum als die Schätze Ägyptens" hielt (11, 26), haben die alttestamentlichen Heiligen denselben Glauben wie die Christen. Wenn Moses auf die Seite des leidenden Gottesvolkes tritt (11, 25), hat er damit die Schmach Christi gewählt. Zutreffend bemerkt Braun im Anschluß an Riggenbach: „Die Leiden des alttestamentlichen und neutestamentlichen Gottesvolkes und seines Heilsführers (2, 10) gelten dem Hebr als einheitlich" (380). Die „Alten" (οἱ πρεσβύτεροι: 11, 2), für die zu ihrer Zeit die Verheißung nicht erfüllt wurde (11, 39), weil der Zugang zum himmlischen Allerheiligsten noch nicht eröffnet war, werden so zusammen mit den Glaubenden des Neuen Bundes aufgrund ihrer Leiden vollendet (11, 40).

2. Abfall

Die Möglichkeit der zweiten Buße nach einem Abfall, die der Hebr in 6, 4–6, aber auch in 10, 26 und 12, 16 f. nicht zuläßt, ist der „harte knotten", an dem sich Luther stieß (WA Deutsche Bibel 7, 344). Dieser Rigorismus ist dem Urchristentum sonst fremd, das auch für Abgefallene die Möglichkeit der Umkehr nicht ausschließt (vgl. Mk 14, 50. 66–72 den Abfall Petri und aller Jünger; BRAUN 171). Allerdings scheint auch Paulus in dem von ihm 1 Kor 5, 1 ff. angesprochenen Fall von Hurerei (Phaedra-Verhältnis) eine Rückkehr nicht zugelassen zu haben. Auch im Falle der Lüge gegenüber dem Heiligen Geist und Gott (Apg 5, 3 f.) scheint eine Verzeihung ausgeschlossen (s. die Geschichte des Problems und seiner Lösungen in der Alten Kirche in dem Exkurs von BRAUN: „Die Ablehnung der zweiten Buße", 170–173).

Das Problem hat nach JAMES K. SOLARI in seiner unveröffentlichten Dissertation zuletzt VERLYN D. VERBRUGGE in einem Aufsatz ›Towards a New Interpretation of Hebrews 6, 4–6‹ (Calvin Theol. Journ. 15, 1980) erörtert. VERBRUGGE kritisiert an den früheren Auslegern von Hebr 6, 4–6, daß sie das Problem dieser Stelle in Zusammenhang mit der Möglichkeit eines irreversiblen Abfalls eines gläubigen Individuums diskutieren und sie nicht im Zusammenhang mit der Gemeinschaft des Bundes sehen und daß sie den folgenden Versen 7–8 nicht das ihnen gebührende Gewicht für die Interpretation der Stelle geben.

Nach Ansicht VERBRUGGES bilden die Verse 7–8 die Basis für die vorausgehenden Verse 4–6 (o.c. 62). Das γάρ in v. 7 zeigt an, daß nun die Begründung für das im Vorausgehenden Gesagte folgen soll. Hintergrund für Hebr 6, 7–8 aber ist Is 5, 1–7, das Lied vom Weingarten. Der LXX-Text des Liedes enthält zweimal (5, 2. 4) das Wort ἀκάνθας, das auch in Hebr 6, 8 begegnet. VERBRUGGE schließt daraus, daß der Verfasser die im Gleichnis des Jesaia geschilderte Situation vor Augen hat und parallele Schlüsse zieht: Is 5, 6 wird angeordnet, daß das Feld keinen Regen mehr erhält (vgl. ὑετόν Hebr 6, 7). Das unfruchtbare, dornentragende Land erleidet im Hebr und bei Is annähernd das gleiche Schicksal: Hebr 6, 8 wird es angezündet, bei Jesaia wird es zu Ödland, welches nach den Regeln des antiken Ackerbaus von Zeit zu Zeit abgebrannt wurde (VERBRUGGE, o.c. 65). Der Weingarten bei Jesaia ist aber Gleichnis für „das Haus Israel" und „die Männer von Juda" (5, 7). Das zeigt aber, daß auch im Hebr nicht von der individuellen Erwählung und dem Ausharren der einzelnen Heiligen die Rede ist, sondern von der Beziehung Gottes zu seinem Volk als einer Bundesgemeinde (vgl. auch Mt 7, 16, wo ebenfalls Is 5 im Hintergrund steht). In Hebr 6, 7–8 kommen ferner die Begriffe εὐλογία und κατάρα vor, die an Dtn 11, 26–28 erinnern, wo Gott seinem Bundesvolk die Wahl zwischen Segen und Fluch anheimstellt. Die Annahme, daß sich der gesamte Kontext im Hebr an dieser Stelle auf das Volk Gottes als Gemeinschaft, nicht aber auf die einzelnen Gläubigen bezieht, scheint VERBRUGGE die einzige Interpretation zu sein, die dem Wortlaut und Gedankengang der Stelle gerecht wird. Auch aus dem Vorangehenden (5, 11–6, 3) wird deutlich, daß der Verfasser sich an die Gemeinschaft von Gottes Bundesvolk wendet. Der Hebr ist ein echter Brief an eine bestimmte Gemeinde. Das bedeutet: „Der Schreiber interessiert sich nicht so sehr für jedes einzelne Individuum als vielmehr für die Gemeinschaft als ein Ganzes. Wo er sich an den einzelnen wendet, wendet er sich an ihn ebenfalls in alttestamentlicher Manier als an einen, der in der Bundesgemeinde steht" (o.c. 67). In Hebr 6, 4–6 wendet er sich an die Kirche als an eine Bundesgemeinde, und er ermahnt sie, den einzig möglichen Weg zu gehen, den in die Richtung des Gehorsams ihrem Meister gegenüber (ebd. 72).

Zweifellos hat VERBRUGGE den Schwerpunkt der Argumentation und Mahnung des Hebr in diesem Zusammenhang richtig erkannt. Doch kennt der Brief auch die Verwerfung des einzelnen, wie aus 12, 17 klar hervorgeht. Auch 3, 12 warnt vor *individuellem* Abfall: Βλέπετε, ἀδελφοί, μήποτε ἔσται ἔν τινι ὑμῶν καρδία πονηρὰ ἀπιστίας ἐν τῷ ἀποστῆναι ἀπὸ θεοῦ ζῶντος. Es ist jedoch zu beachten, daß es nach dem Hebr nicht die Gemeinde ist, die die Versöhnung verweigert. Die Unmöglichkeit der zweiten Buße ist ferner nicht in metaphysischem oder theologischem Sinne gemeint. Vielmehr will der Verfasser in einer durch das σήμερον bestimmten eschatologischen Situation (3, 13) die Gemeinde und ihre einzelnen Glieder vor dem Verpassen einer niemals wiederkehrenden Heilschance warnen (vgl. auch die Behandlung der Frage durch J. C. FENTON im Zusammenhang mit der Bewertung des Hebr, u. B. VII).

3. Gemeindeleben

Es ist oft bemerkt worden, daß der Hebr sich zu Theologie und Praxis der Eucharistie in Schweigen hüllt, und das gerade da, wo man einen deutlichen Hinweis oder Bezug auf das Abendmahl erwarten würde. In dem Forschungsbericht von E. GRÄSSER (ThR 30, 1964) ist keine Arbeit zu dem Thema verzeichnet. In neuerer Zeit haben gleichwohl mehrere Forscher angenommen, daß Eucharistie und Gottesdienst im Hebr eine Rolle spielen. O. MOE (Abendmahl) meint, Hebr 13, 10–16 böte „ein Bild vom urchristlichen Abendmahlsgottesdienst, wie er auf judenchristlichem Boden (etwa in Jerusalem) gefeiert wurde". J. SWETNAM hat in verschiedenen Aufsätzen zu beweisen versucht, daß die Eucharistie im Denken des Auctor ad Hebraeos einen zentralen Platz einnehme (s. vor allem: The Greater and More Perfect Tent, Bibl 47, 1966). P. ANDRIESSEN (Eucharistie, NRTh 104, 1972) erkennt in zahlreichen Stellen des Briefes Anspielungen an das Herrenmahl. Den Grund, weshalb der Verfasser nicht ausdrücklich davon spricht, sieht er in dem Hauptthema des Briefes, daß „Christus in das himmlische Heiligtum über den Weg des Leidens eingetreten ist".

In entgegengesetztem Sinn deutete dagegen schon J. MOFFATT das Schweigen des Hebr: Er nahm an, der Hebr wende sich gegen eine Auffassung, die im Abendmahl ein φαγεῖν τὸ σῶμα τοῦ Χριστοῦ sah, und lehne ein rituelles Mahl als Mittel der Verbindung mit Gott ab (234). Ähnlich sieht G. THEISSEN in Hebr 13, 7–17 einen Hinweis an den Leser, daß die christlichen Sakramente ebensowenig wie das Gesetz imstande seien, die Menschen vollkommen zu machen. Die Sakramente als Heilsmittel kennt der Hebr nicht (Untersuchungen 77).

O. KUSS (Grundgedanke 266) geht in die gleiche Richtung, wenn er feststellt: „Es findet sich nirgendwo ein wirklich sichtbares Zeichen, daß die Gemeinde irgendeine Art unmittelbarer liturgischer Repräsentation der Tat Jesu Christi kannte." Seine Erkenntnisse über die Möglichkeit kultischer Betätigung der Hebr-Gemeinde faßt er folgendermaßen zusammen: „erstens: der Hebräerbrief ist an der Diskussion einer liturgischen Repräsentation des Heilsereignisses in Tod und Erhöhung Jesu Christi nicht interessiert; zweitens: die Möglichkeit, daß der Hebräerbriefverfasser, bzw. die Hebräerbriefgemeinde irgendeine Form eines sich regelmäßig wiederholenden Gottesdienstes kannte, die über einen bloßen Wortgottesdienst hinausgeht, muß offengelassen werden, besonders auf Grund der allgemeinen Erwägung, daß wir uns eine Gemeinde z. B. ohne Herrenmahl nicht recht vorstellen können; auf jeden Fall ist der Verfasser aber vor allem mit rein grundsätzlichen theologischen Fragen beschäftigt und kommt nur ganz beiläufig auf die „Gemeindeversammlung" zu sprechen, ohne auch nur die mindeste konkrete Andeutung zu machen, was bei diesen Gemeindeversammlungen geschieht, oder gar was für eine Liturgie dort gefeiert wird: man muß sich einfach damit zufriedengeben, wenn man auf festem Boden bleiben will; drittens: dabei kann allerdings kaum ein Zweifel sein, daß der Hebräerbrief auch und gerade der Liturgie und der theologischen Vertiefung der liturgischen Repräsentation wichtige Dienste leisten konnte und geleistet hat; aber das ist dann nicht mehr Gegenstand einer Bestandsaufnahme der unmittelbaren Theologie des Hebräerbriefes, sondern gehört zur Geschichte seiner theologischen Auswirkungen" (o.c. 269f.).

Weit über Kuss hinausgehend, nimmt F. Schröger an, „daß es in der Hebräerbriefgemeinde keine Eucharistiefeier gibt" (Gottesdienst 181). Die Gottesdienste stellt er sich als reine Lesungs- und Gebetsgottesdienste vor, wie sie auch in den jüdischen Synagogen (vgl. Philo, De Somn. II, 125. 127) und bei den Essenern (vgl. Philo, Quod omn. prob. 81. 82) stattfanden (o.c. 174f.). Erneut hat schließlich R. Williamson die Frage nach der Eucharistie anhand einer eingehenden Prüfung der in Frage kommenden Texte behandelt (Eucharist, NTS 21, 1975). Ähnlich wie Schröger nimmt er an, daß das einzig wahre Opfer im Verständnis der Hebr-Gemeinde von Jesus dargebracht wird (5, 7; 9, 14. 25. 28; 10, 10. 14), und zwar ein für allemal (ἐφάπαξ 7, 27; 9, 12; 10, 10; Schröger, o.c. 179). Es ist somit im Hebr nicht nur ein Schweigen über die Eucharistie, sondern der Brief scheint sich „gegen eine Auffassung der christlichen Religion zu richten, welche die Eucharistie als ein Mittel betrachtet, durch das die Wohltaten von Christi Opfer dem Beter sakramental vermittelt oder mitgeteilt werden" (Williamson, Eucharist 309f.). An die Stelle kultischer Handlungen tritt bei der Gemeinde die Nachfolge des ausgestoßenen und geschmähten Jesus (13, 13), da wir hier keinen Altar haben, auf den wir unsere Opfer legen könnten (13, 10); weiterhin das Lobopfer, „die Frucht der Lippen" (13, 15f.), womit im Anschluß an Lev 7, 12–15 das Aussprechen der Dankbarkeit gegenüber Gott gemeint ist (Schröger, Gottesdienst 179f.).

Diejenigen Exegeten, die wie Schröger und Williamson ihren Scharfsinn an dieser Frage exerziert haben, haben zweifellos recht mit der Beobachtung, daß der Hebr an keiner Stelle eine Gemeindefeier mit Abendmahl oder die Eucharistie in irgendeiner anderen Weise direkt erwähnt. Bevor man hieraus Schlüsse zieht, können jedoch einige allgemeine Erwägungen zur religionsgeschichtlichen

Situation der Hebr-Gemeinde nützlich sein: Es ist schwer denkbar, daß es im antiken Christentum und Judentum, ja überhaupt in der antiken Welt des Mittelmeerraumes eine religiöse Gemeinschaft ohne (Opfer-)Kultus gegeben haben sollte. Zentrum der jüdischen Religion war nicht der Wortgottesdienst in den Synagogen, sondern, solange der Tempel von Jerusalem stand, der dort vollzogene Opferkultus; mit diesem stand das rituelle Mahl, das Passa-Mahl, in engster Verbindung. Bis auf den heutigen Tag ist das (Ersatz-)Passa-Mahl das eigentliche Zentrum der jüdischen Religion. Auch bei den Qumran-Essenern gab es außer den von Philo beschriebenen Zusammenkünften zweifellos auch das Mahl mit eindeutig kultischem Charakter (s. 1QS VI, 2–6. 20 f.; 1QSa II, 17–22; vgl. Josephus, Bell. Jud. 2, 8, 5. 7, §§ 129–133. 139).

Hinzu kommen einige speziellere Überlegungen: Wenn die Erwähnung des Timotheus (Hebr 13, 23) keine bloße literarische Fiktion ist (was ich nicht annehme), dann ist sie ein Indiz dafür, daß der Hebr in der Nähe des Paulus entstanden ist. Daß in den paulinischen Gemeinden das Herrenmahl als Gedächtnis und Verkündigung des Todes des Herrn (1 Kor 11, 25 f.) und als κοινωνία τοῦ αἵματος, κοινωνία τοῦ σώματος τοῦ Χριστοῦ (1 Kor 10, 16) gefeiert wurde, wird von niemandem bestritten. Der Hebr wurde an eine große Gemeinde Griechenlands oder Kleinasiens oder vielleicht nach Rom geschickt, an eine Gemeinde jedenfalls mit zahlreichen Mitgliedern, die ein hohes religiöses Bildungsniveau hatten. Eine Großgemeinde mit einem umfassenden theologischen Wissen über die Fragen des Kultus, ohne irgendeine Form des Kultus praktisch auszuüben, wie soll man sich das vorstellen?

Unter diesen Vorüberlegungen erhalten die möglichen Anspielungen auf die Eucharistie, die der Hebr enthält, wie wir meinen, einen anderen Stellenwert. Mit Sicherheit kennt der Hebr die Taufe als sakramentalen Ritus mit Waschung und Handauflegung (6, 2; vgl. 10, 22. 32). In 10, 22 steht der auch 4, 16 und 7, 15 genannte kultische Ausdruck προσέρχεσθαι in allernächster Nachbarschaft der Erwähnung des Taufritus (λελουσμένοι τὸ σῶμα ὕδατι καθαρῷ). Sollte dann das προσέρχεσθαι lediglich den Zugang zum himmlischen Heiligtum bezeichnen, d. h. rein spirituell zu verstehen sein? Vielmehr scheint die Erläuterung zutreffend zu sein, die O. Hofius von der Stelle in ihrem gesamten Kontext gibt: „In Hebr 10, 19 handelt es sich m. E. um die dem εἰσέρχεσθαι von 3, 7 ff. entsprechende *eschatologische* εἴσοδος, die im gottesdienstlichen προσέρχεσθαι der Gemeinde antizipiert wird (4, 16; 7, 25;

10, 22). Der παρρησία εἰς τὴν εἴσοδον τῶν ἁγίων 10, 19 korrespondiert deshalb die παρρησία 4, 16, mit der die Glaubenden jetzt schon „zum Thron der Gnade hinzutreten" (Vorhang 80, Anm. 178).

10, 29 wird dann das Bundesblut (τὸ αἷμα τῆς διαθήκης) genannt und davor gewarnt, es „als gemein" anzusehen. Das erinnert an das μὴ διακρίνων τὸ σῶμα des Paulus (1 Kor 11, 29), zumal es auf die Mahnung, die Gemeindeversammlung nicht zu versäumen (10, 25) folgt. Auch die Erwähnung des Bundesblutes 9, 20 (vgl. Ex 24, 8) im Zusammenhang der Gedanken über den Alten und den Neuen Bund ist ohne Kenntnis der synoptischen Abendmahlstradition schwer erklärbar.

Aufgrund dieser Überlegungen scheint es nicht abwegig, mit O. MICHEL zusammenzufassen: „Wenn Hebr nicht ausführlich von den Sakramenten spricht, so hängt dies mit der Beschränktheit seines Themas, vielleicht auch mit der Arkandisziplin, auf keinen Fall aber mit einer Gleichgültigkeit gegenüber dem Herrenmahl oder einer unkultischen Beurteilung des Gottesdienstes zusammen. Der Bundesgedanke und die Exegese von Jer 31, 31–34 sind nur auf Grund der Abendmahlsstiftung, die Polemik Hebr 13, 10 nur im Zusammenhang mit einer realistischen Abendmahlslehre verständlich" (320, Anm. 2; vgl. auch den Abschnitt über die Abendmahlsauffassung des Hebr in meinem Bericht ›Das Verständnis des Abendmahls‹ [EdF 50], 1976, 74 ff.).

VII. Die Bewertung des Hebräerbriefs

Daß sich der Hebräerbrief als kanonisch anerkannte Schrift in der lateinischen Kirche später als in der griechischen durchsetzte, wurde schon gesagt (s. o. A. I). Sein Ansehen war aber dann über mehr als tausend Jahre unangefochten bis auf Luther. Die stark rationalistisch geprägte Theologie im Protestantismus des 18. und 19. Jahrhunderts konnte mit der Opfertod-Christologie des Hebr nichts anfangen, während der Brief im Pietismus überaus geschätzt war (s. MICHEL 87 f.). Der theologischen Voreingenommenheit der jeweiligen Exegeten entsprechend wurde der Hebr verschieden gedeutet und sein inhaltlicher Schwerpunkt in jeweils anderen Theologumena gesucht (vgl. o. B. I). „Es gehört in der Tat zu den interessantesten Phänomenen in der Geschichte der Exegese, wie verschieden der Hebräerbrief gedeutet worden ist und wie wenig sich eine einzelne Deutung hat durchsetzen können" (G. FITZER, Hebräerbrief 306 f.).

Einen Tiefpunkt in seiner Wertschätzung erreichte unser Brief im 20. Jahrhundert im Gefolge der durch RUDOLF BULTMANN und einige seiner Schüler erneuerten Diskussion um den „Kanon im Kanon" oder die „Mitte der Schrift". BULTMANN selbst mißt den Hebr am paulinischen Glaubens- und Daseinsverständnis. Er sieht in ihm die Dialektik von Imperativ und Indikativ preisgegeben. Von dem πνεῦμα, das nach Paulus die Kraft des christlichen Lebens ist, rede der Hebr nicht. Den Verfasser bewegt nicht das Problem der Gesetzlichkeit; vom alttestamentlichen Gesetz interessiert ihn nur das Kultusgesetz, das er allegoristisch deutet (Theologie 519). „Wozu die ganze Vorabbildung des Heilswerkes Christi, die in der Zeit vor Christus ja niemand verstehen konnte, eigentlich geschehen sei, würde man den Verfasser, der sich seiner Interpretationskunst freut, wohl vergeblich fragen" (ebd. 113 f.). Man erkennt in den Äußerungen BULTMANNS das bare Unverständnis für die tiefen Gedanken des Auctor ad Hebraeos über den Kultus des alten Bundes und den Glauben der alttestamentlichen Heiligen.

Nach G. FITZER hat der Verfasser des Hebr „seine theologische Genialität am untauglichen Objekt" geübt: „Das ist der Satz, daß Jesus Hoherpriester sei" (Hebräerbrief 307). FITZER möchte deshalb die Intention des Verfassers gewissermaßen weiterführen und in ihr eine grundsätzliche Kritik der Opfer-Vorstellung überhaupt sehen. Seine Grundthese lautet: „Man muß einen Schritt weitergehen und erwägen, ob der Verfasser seine These vom Hohenpriestertum Jesu gar nicht so wörtlich meinte, wie sie die Dogmatik und die kirchliche Hierarchie gern verstehen, sondern sie nur argumentativ benutzte, um mit ihr zu beweisen, daß das alttestamentliche Opferinstitut in sich brüchig ist und seine Antiquiertheit erweist, wenn man den mit Jesus Christus gegebenen Maßstab auf es anwendet. Vielleicht hatte der Verfasser doch ein besonderes Interesse daran zu zeigen, daß mit Christus das Ende aller Opfer gekommen ist. Könnte er nicht in einer Welt, die voll täglicher Opferdarbringung war, die Gemeinde mit seiner theologischen Beweisführung haben stärken wollen, daß es dort, wo die Vergebung der Sünden erfolgt – und sie ist in Christus tatsächlich erfolgt – kein Opfer mehr für die Sünden gibt?" (o.c. 307 f.). Diese Deutung FITZERS verfehlt ganz gewiß die Absicht des Auctor ad Hebraeos. Man kann im Hebr keine Kritik der Opfer-Vorstellung an sich finden. Der Verfasser bestreitet nicht die Notwendigkeit des Kultus, er geht vielmehr in seiner Argumentation vom Kultus als Sühneveranstaltung aus. Auch für die Christen ist eine Versöhnung notwendig. Sie wird in der Sicht des Hebr vollbracht durch das permanente Eintreten des ewigen Hohenpriesters ἐν δεξιᾷ τοῦ θεοῦ (Hebr 8, 1; 10, 12; vgl. 7, 25; s. auch B. IV).

Weil im Hebr mehrfach die Möglichkeit der Buße nach dem Empfang der Taufe bestritten wird, kommt J. C. FENTON (Argument 179 ff.) zu einer totalen Ablehnung des Hebr als Dokument für die christliche Lehre und Verkündigung. Er beruft sich dafür auch auf Luther, der in seinem ›Septembertestament‹ von 1522 bemerkt hatte, die Versagung der Buße für die Sünder nach der Taufe sei „wider alle Evangelien und die Episteln Sankt Pauli" (WA Deutsche Bibel 7, 344 f.), ohne aber zu erwähnen, daß Luther im gleichen Atemzug auch Worte außerordentlicher Hochschätzung für den „trefflichen gelehrten Mann" findet, der die „ausbündige gelehrte Epistel" geschrieben hat (s. FELD, Luthers und Steinbachs Vorlesungen 31 f.). Nach FENTON denkt der Autor des Hebr theologisch und logisch falsch. Der Duktus seiner Argumentation ist nämlich: „Gott hat für uns mehr getan als für die Väter. Er bestrafte sie, wenn sie sündigten. Deshalb stehen wir in der Gefahr einer härteren Bestrafung, wenn wir sündigen." Diese Beweisführung beruht nach FENTON auf einer ungeprüften Voraussetzung des Auctor ad Hebraeos, nämlich der, daß das Motiv Gottes zur Stiftung des neuen Bundes irrelevant sei. Es könnte jedoch sein, daß der Grund, weshalb Gott bessere Dinge für uns vorsah, der war: zu zeigen, daß er ein gnädiger und liebender Gott ist. Wenn das der Fall ist, dann trifft der Schluß nicht zu, daß er uns strenger bestrafen wird als die Menschen des alten Bundes. Vielmehr ist der gegenteilige Schluß die Wahrheit: „Gott hat für uns bessere Dinge getan, deshalb wird er uns milder richten."

Das falsche theologische Denken des Hebr (im Grunde wohl beruhend auf einem falschen Gottesbild) hat nach FENTON eine falsche Logik zur Folge: „Ein Beispiel für die falsche Logik des Hebr wäre ein Kind, das bemerkte, daß sein wöchentliches Taschengeld bei jedem Geburtstag erhöht wird, von Zeit zu Zeit mit einem Inflationsausgleich, und so zu dem Schluß käme, weil die von seinem Vater empfangenen Wohltaten jedes Jahr größer würden, müßte es deshalb seinen Vater immer mehr fürchten; wenn es im Alter von fünf Jahren durch Entzug des Abendessens bestraft wurde, wieviel Mahlzeiten müßten dann im Alter von fünfzehn Jahren ausfallen?" (o.c. 180).

FENTON bemerkt, es gebe im ganzen Hebr nur einen ausdrücklichen Bezug auf die Liebe Gottes zu den Menschen, das Zitat von Prov 3, 12 in Hebr 12, 6: „Wen der Herr lieb hat, den züchtigt er, und geißelt jeden Sohn, den er annimmt." Gottes Taten werden mit Begriffen der vergeltenden Gerechtigkeit umschrieben: „Mein ist die Rache, ich will vergelten, und wiederum: Der Herr wird sein Volk richten" (10, 30); Gott ist „ein verzehrendes Feuer" (12, 29), und es ist furchtbar, in seine Hände zu fallen (10, 31). Selbst das Alte Testament hat ein anziehenderes Gottesbild, denn dort heißt es: „Laßt uns in die Hand Gottes fallen, denn seine Gnade ist groß" (2 Sam 24, 14).

Der Irrtum des Auctor ad Hebraeos in der Logik und in der Theologie geht Hand in Hand mit einem psychologischen Irrtum: „Zu sagen: Wenn du das und das tust, wirst du bestraft, ist häufig der beste Weg, jemanden zu ermutigen, es zu tun."

Schließlich ist nach FENTON die Beziehung zwischen dem alten und neuen Bund im Hebr mißverstanden. Die Erlösung wird in kultischer Begrifflichkeit vorgestellt: das bessere Opfer und das bessere Priestertum schaffen besseres Heil. Die Überlegenheit des Evangeliums über das Gesetz wird in der Sprache des Gesetzes dargelegt. Der Verfasser geht vom Gesetz aus statt vom Evangelium. Die Argumentation des Hebr ist so ein treffendes Beispiel für das Einfüllen neuen Weins in alte Schläuche. Der alte Schlauch ist in diesem Fall das kultische System des Alten Testaments. Indem er versucht, mit seiner Hilfe das Neue zu erfassen, verdirbt er Wein und Schlauch zugleich (o.c. 180f.).

Nicht weniger abfällig und mit stark polemischen Untertönen beurteilt SIEGFRIED SCHULZ in seinem Buch ›Die Mitte der Schrift‹ (1976, 257ff.) den Hebr. Er sieht in ihm, wie in vielen anderen Schriften des Neuen Testaments, ein Dokument des Frühkatholizismus. Der Brief ist bestimmt von einem metaphysischen Dualismus alexandrinischer Prägung, der Abwertung der irdisch-sichtbaren zugunsten der unsichtbaren und unveränderlichen himmlischen Welt. Er kennt nicht mehr die paulinische Rechtfertigung des Gottlosen allein aus dem Glauben. Der Gegensatz Glaube–Werke fehlt. Der Glaube ist nicht auf Christus bezogen, sondern ist zur christlichen Tugend geworden. Dem entspricht eine moralisierende Rechtfertigungslehre: Rechtfertigung ist gleich Rechtschaffenheit (1, 9; 11, 33; 12, 11) oder moralisch rechtes Verhalten (10, 38; 11, 4; 12, 23). Das Schwergewicht des Hebr liegt „ganz unpaulinisch" auf den paränetischen Partien, auf der Ethik, und das heißt: einer neuen

Gesetzlichkeit (o.c. 270). Christus wird zum nachzuahmenden Vorbild für die Christen: für SCHULZ eine typisch „frühkatholische" Vorbild-Ethik. Auch die „frühkatholisch" zu nennende Hochschätzung des kirchlichen Amtes zeigt, „daß der Hebr nicht nur auf der Schwelle vom Urchristentum zum sogenannten nachapostolischen Zeitalter steht, sondern ein weiterer Repräsentant des Katholisierungsprozesses paulinischer Theologie im weitesten Sinne des Wortes ist".

Mit dem Werk von SCHULZ und der gesamten Diskussion um die Phantome „Frühkatholizismus" und „Frühprotestantismus" hat sich P. G. MÜLLER in seinem Leitartikel ›Destruktion des Kanons – Verlust der Mitte‹ (ThRev 73, 1977) eingehend befaßt. Die Kritiker des Hebr und der anderen sogenannten „frühkatholischen" Schriften des Neuen Testaments, die gern an alles die Meßlatte einer (radikal lutherisch verstandenen) paulinischen Rechtfertigungslehre anlegen, übersehen oft, daß die Verkündigung des Evangeliums auch abhängig ist von der geschichtlichen, geistigen und kulturellen Situation der Menschen, an die sie sich wendet.

Auch E. GRÄSSER hält es für mehr als bedenklich, wenn in ungeschichtlicher Weise die von Paulus ausgearbeitete Theologie der *iustificatio impiorum* als Kriterium der Rechtgläubigkeit anderer Schriften des Neuen Testaments genommen wird: „Das Verfahren ist aber problematisch, wenn der Paulinismus zum ungeschichtlich gehandhabten Kriterium wird und Rechtgläubigkeit sich nur noch danach bemißt, ob und wie paulinische Theologumena expliziert, vertieft und aktualisiert werden" (Rechtfertigung im Hebr 80). Was der Hebr über den himmlischen Kult des Hohenpriesters Jesus und die Aufhebung des Alten durch das Neue sagt, enthält nach GRÄSSER, wenn auch nicht terminologisch, so doch sachlich die Botschaft von der Rechtfertigung (o.c. 87). In ähnlichem Zusammenhang weist R. WILLIAMSON (Hebrews and Doctrine 374) darauf hin, daß im Hebr nur einmal ausdrücklich von der Auferstehung Jesu die Rede ist (13, 20). Aber die Mythologie von der Aktivität des himmlischen Hohenpriesters Jesus ist die Interpretation, die der Verfasser von der Auferstehung gibt: sie ist seine Weise, von der Auferstehung zu reden. WILLIAMSON warnt davor, mit Maßstäben, die der Tradition der westeuropäischen Aufklärung entstammen, über einzelne theologische Auffassungen des Hebr zu räsonnieren. In Afrika etwa, wo die Theologiestudenten noch mit den Opferpraktiken ihrer Dörfer befaßt sind, werde die Bedeutung der Opfertod-Christologie sehr gut verstanden (o.c. 375).

In seinem oben zitierten Aufsatz erwähnt Fenton eine Bemerkung Calvins: der Grund, weshalb der Hebr eine Zeitlang im We-
sten nicht anerkannt wurde, war, weil man meinte, er begünstige
die Novatianer, und er fragt: „War das nicht ein zutreffendes Verständnis?" (Argument 180). Fenton zitiert Calvin ebensowenig im
Zusammenhang, wie er es im Falle von Luther tut. Nach Calvin war
nämlich das von Fenton für zutreffend gehaltene Verständnis haltlos, nichtig (vana). Calvins Bewertung des Hebräerbriefs steht am
Anfang seines Kommentars (CO 55, 5). Da wir sie im ganzen für
zutreffend halten, wollen wir mit ihr unseren Bericht abschließen:

„Nicht nur über den Verfasser dieses Briefes wurde früher in verschiedener Weise disputiert, sondern der Brief selbst wurde mit
knapper Not spät in den lateinischen Kirchen anerkannt. Sie hatten
ihn im Verdacht, er begünstige den Novatian in der Verweigerung
der Verzeihung für die Abgefallenen (lapsi). Aber wie haltlos dieser
Verdacht war, wird an den betreffenden Stellen erörtert werden. Ich
nehme ihn ohne Widerspruch unter die apostolischen Briefe auf.
Und ich zweifle nicht, daß es einst durch die List Satans geschehen
ist, daß ihm manche seine Autorität absprachen. Es gibt nämlich
keines unter den heiligen Büchern, welches über das Priestertum
Christi so treffend spricht, die Kraft und Würde des einzigen Opfers, das er durch seinen Tod darbrachte, so herrlich hervorhebt,
über den Gebrauch und die Abschaffung der Zeremonien ausführlich handelt, das schließlich vollständiger erklärt, daß Christus das
Ende des Gesetzes sei. Deshalb wollen wir es nicht dulden, daß man
die Kirche Gottes und uns selbst eines solchen Gutes beraubt,
sondern wir wollen uns seinen Besitz ohne Schwanken unverletzt
erhalten."

BIBLIOGRAPHIE

I. Kommentare zum Hebräerbrief

Die mittelalterlichen handschriftlichen und gedruckten Kommentare zum Hebräerbrief sind verzeichnet bei F. Stegmüller, Repertorium Biblicum Medii Aevi, 7 Bde., Madrid 1950–1961 (im folgenden = St.). Die meisten Kommentare des 16. und 17. Jahrhunderts hat Kenneth Hagen, Hebrews Commenting from Erasmus to Bèze: 1516–1598, Tübingen 1981, zusammengestellt. Viele der älteren Kommentare, vor allem des 17. bis 19. Jahrhunderts, finden sich bei F. Delitzsch, Commentar zum Briefe an die Hebräer, Leipzig 1857. Die wohl umfangreichste, leider jedoch sehr flüchtige und fehlerhafte Liste von Kommentaren hat C. Spicq in seinem Hebräerbrief-Kommentar von 1952 (I, 379 ff.). Die von 1901 bis 1960 erschienenen Kommentare hat ebenfalls Spicq zusammengestellt im Dict. Bibl. Suppl. VII, 272 f. Ich habe alle diese Listen benutzt und, soweit es möglich war, ergänzt und korrigiert.

1. Ältere Kommentare

Väterzeit

4. Jahrhundert

Ephraem der Syrer: Commentarii in Epistolas D. Pauli nunc primum ex armenio in latinum sermonem a Patribus Mechitaristis translati. Venedig 1893, 200–242.

Johannes Chrysostomus: Enarratio in Epistolam ad Hebraeos ex notis post eius obitum a Constantino presbytero Antiocheno edita (MG 63).

–: Mutiani Scholastici Interpretatio Homiliarum S. Joannis Chrysostomi in Epistolam ad Hebraeos (MG 63).

5. Jahrhundert

Theodoret von Cyrus: Interpretatio Epistolae ad Hebraeos (MG 82).

Cyrill von Alexandrien: Explanatio in Epistolam ad Hebraeos (MG 74).

6. Jahrhundert

Oecumenius: Pauli Apostoli ad Hebraeos Epistola (MG 119; St. IV, 6148).

Cassiodor: Complexiones in Epistulis Apostolorum (ML 70; St. II, 1910).

Mittelalter

7. Jahrhundert
Ps-Haimo de Halberstadt = Ps-Primasius (ML 68, 685–794; 117, 821–839; St. III, 3071. 3114. 7002).
Beda Venerabilis (St. II, 1631; cf. 1619–1631).

8. Jahrhundert
Alkuin = Ps-Ambrosiaster (ML 100; St. II, 1099. 1273).

9. Jahrhundert
Claudius Taurinensis = Ps-Atto Vercellensis (ML 134, 725–834; St. II, 1973; III, 3139).
Florus Diaconus (ML 119, 411–420).
Ps-Petrus Tripolitanus = Florus Diaconus (?) (St. IV, 6933).
Rabanus Maurus (ML 112; St. V, 7077, XXVII).
Walafrid Strabo, Glossa ordinaria (ML 114).
Remigius Altissiodorenis = Ps-Haimo Halb. (ML 117; St. V, 7244).
Sedulius Scotus (ML 103; St. V, 7621).
Ischo'dad von Merv: M. D. Gibson (ed.), The Commentaries of Ischo'dad of Merv Bishop of Hadatha. Cambridge 1916 (V, 1. 2).

11. Jahrhundert
Theophylakt: Epistolae Divi Pauli ad Hebraeos Expositio (MG 125).
Lanfrancus de Canterbury (ML 150; St. III, 5383).
Bruno Carthusiensis (ML 153; St. II, 1830).

12. Jahrhundert
Gilbertus Porretanus (St. II, 2528).
Hervaeus Burgidolensis (Hervé de Bourg-Dieu) (ML 181; St. III. 3289).
Nicolaus de Amiens (St. IV, 5683).
Bruno Monachus (Ps-Paterius) (St. IV, 6319, 21).
Ps-Abaelardus (St. IV, 6395).
Petrus Cantor (St. IV, 6523).
Ps-Petrus Comestor (St. IV, 6592).
Petrus Lombardus (ML 192; St. IV, 6668).
Radulfus Flaviacensis (de Flaix) (St. V, 7113).
Radulfus Laudunensis (de Laon) (St. V, 7141).
Robertus de Bridlington (St. V, 7382, 13).
Ps-Hugo de S. Victore (ML 175; St. III, 3844).
Stephanus Langton (St. V, 7920).

13. Jahrhundert
Adamus de Marisco (de Marsh) OM (St. II, 872).
Ps-Albertus Magnus (St. II, 1036).
Gaufridus de Blenello OP (St. II, 2385).

Guerricus de S. Quentino OP (St. II, 2713).

Guilelmus de Melitona (de Milton) OM (St. II, 2957).

Hugo de S. Caro (de St. Cher) OP: (Biblia cum) Postilla domini Hugonis Cardinalis. Pars I–VI. Basel 1503–1504 (St. III, 3740. 3754).

Johannes de Rupella (de la Rochelle) OM (St. III, 4914).

Nicolaus de Gorran OP: In omnes S. Pauli epistolas elucidatio. Lyon 1692 (II, 160–282; St. IV, 5798).

Odo de Castro Radulfi (de Chateauroux) (St. IV, 6108. 6112).

Petrus de Tarantasia (Innocentius PP. V) OP: Postillae in omnes epistolas S. Pauli. Lyon 1696 (St. V, 6881: red. prima; 6895: red. secunda).

Robertus de Melun (St. V, 7446).

Thomas Aquinas OP: In omnes S. Pauli epistolas commentaria. Turin 1902 (II, 257–452); Super epistolas Sancti Pauli lectura, ed. Raphael CAI. Rom 1953 (II, 335–506; St. V, 8064).

Augustinus Triumphus de Ancona OESA (St. II, 1527).

14. Jahrhundert

Nicolaus de Lyra (St. IV, 5915; s. Biblia Sacra. 1501).

Johannes Wyclif (St. 5110; 5097–5110).

Pontius Carbonelli OM (St. IV, 6985, 65).

Johannes Müntzinger (St. III, 4817, 12; 4818, 13).

15. Jahrhundert

Aegidius de Bailleul (St. II, 894).

Augustinus Favaroni OESA: Perugia 1410–1411 (St. II, 1505).

Dionysius de Ryckel Carthusianus (Dionysius der Karthäuser): Paris 1531; Opp. Bd. 13, Montreuil 1901, 469–531.

Johannes de Indagine (Hagen) OCarth (St. III, 4701. 4718).

Petrus Reicher de Pirchenwart (?) (St. IV, 6815).

Biblia Sacra cum glosa ordinaria et interlineali concordantiisque sacrorum canonum una cum postillis, additionibus ac replicationibus venerabilium patrum Nicolai de Lyra Brabantini, Pauli Hispani Burgensis episcopi et Mathie Doringk Saxonis. Pars I–VI. Basel 1501–1502.

Neuzeit

16. Jahrhundert

Laurentius Valla: Adnotationes in latinam Novi Testamenti interpretationem (ed. Erasmus von Rotterdam). Paris 1505; Opera Omnia. Basel 1543 (Neudruck Torino 1962), I.

Jacobus Faber Stapulensis (Jacques Lefèvre d'Etaples): Epistole divi Pauli apostoli cum commentariis preclarissimi viri Jacobi Fabri Stapulensis. Paris [1]1512. [2]1515 (erschienen: 1516). [3]1517 u. ö.

Desiderius Erasmus von Rotterdam: Novum Instrumentum omne diligenter ab Erasmo Roterodamo recognitum. Basel 1516 u. ö. Leidener Ausg. VI).

Desiderius Erasmus von Rotterdam: In epistolam Pauli ad Hebraeos paraphrasis per Erasmum Roterodamum extrema. Basel 1521.

Wendelin Steinbach: Ad Hebraeos. Inicium feci anno 1516 in marcio; Opera Omnia ed. H. Feld. Vol. II: Commentarii in Epistolam ad Hebraeos Pars Prima (Veröff. d. Instituts für Europ. Geschichte Mainz Bd. 110). Wiesbaden 1984.

Martin Luther: Die Vorlesung über den Hebräerbrief (1517); ed. Hirsch-Rückert (Arbeiten zur Kirchengesch. Bd. 13). 1929; ed. Joh. Ficker (Anf. reformat. Bibelausl. 2). 1929; WA 57 III. 1939.

Nikolaus von Amsdorf: Vorlesung über den Hebräerbrief (1521). Zwikkauer Ratsschulbibliothek, Rothsches Ms. XXXVII.

Johann Bugenhagen: Annotationes Ioan. Bugenhagii Pomerani in decem Epistolas Pauli, sc. ... Hebraeos. Nürnberg 1524. Straßburg 1525.

Franciscus Titelmans: In omnes epp. apostolicas Fracisci Titelmanni ordinis minoritarum ... elucidatio. Antwerpen 1528 u. ö. Paris 1532 u. ö. Lyon 1553.

Thomas de Vio Caietanus OP: Epistolae Pauli et aliorum apostolorum ad Graecam veritatem castigatae (1529). Venedig 1531. Paris 1532; Opp. omn. Lyon 1639 (V, 329–361) (St. V, 8231, 13).

Huldrych Zwingli: In epistolam Beati Pauli ad Hebraeos expositio brevis. Opp. Zürich 1838 (VI/2, 291–319).

–: In evangelicam historiam ... Adiecta est ep. Pauli ad Hebraeos ... per Gasparem Megandrum. Zürich 1539.

Heinrich Bullinger: In piam et eruditam Pauli ad Hebraeos epistolam Heinrychi Bullingeri commentarius. Zürich 1532.

Johannes Oecolampadius: In epistolam ad Hebraeos Joannis Oecolampadii explanationes. Straßburg 1534.

William Tyndale: The New Testament translated by William Tyndale. 1534; ed. N. H. Wallis. Cambridge 1938.

Franciscus Bonadus (François Bonade): Divi Pauli ... epistolae ... traductae Francisco Bonado Anderiae presbytero paraphraste. Basel 1537. Paris 1537.

Nicolaus Grandis (Nicolas Le Grand): In divi Pauli Epistolam ad Hebraeos enarratio. Paris 1537. 1552.

–: In epistolas ad Romanos et Hebraeos. Paris 1546.

Konrad Pellikan: Commentarium in epistolam D. Pauli apostoli ad Hebraeos (Commentaria Bibliorum VII, 608–680). Zürich 1539.

Robert Estienne: Pauli Apostoli Epistolae ... ad Hebraeos. Paris 1541 u. ö.

Isidorus Clarius (Taddeo Cucchi): Epistola Beati Pauli ad Hebraeos (Novi Testamenti Vulgata quidem aeditio, 2 Bde. Venedig 1541 u. ö.: II, 327–380).

Gasparo Contarini: Epistola ad Hebraeos (ca. 1542); ed.: Scholia in epistolas divi Pauli (opera, Paris 1571, 515–529).

Jean de Gagnée (Gagny): Divi Pauli Apostoli epistolae brevissimis . . . scholiis . . . illustratae. Paris 1539.

–: Brevissima et facillima in omnes Divi Pauli epistolas scholia. Paris 1543 u. ö.

Rudolf Gualther (Walter): In epistolam Divi Pauli Apostoli ad Hebraeos D. Rodophi Gualtheri Pastoris Ecclesiae Tigurinae Homiliarum archetypi (1542); ed.: In divi Pauli Apostoli Epistolas omnes . . . Homiliarum archetypi. Zürich 1589, 318–352.

Claude Guilliaud: Epistola Beati Pauli ad Hebraeos (Collatio in omnes divi Pauli apostoli epistolas. Lyon 1543, 441–527). Paris 1548 u. ö.

Andreas Gerhard Hyperius, Commentarii D. Andreae Hyperii . . . in epistolam D. Pauli Apostoli ad Hebraeos nunc primum opera Joannis Mylii in lucem editi. Zürich 1584 (entstanden zwischen 1544 und 1548).

Johannes Calvin: In epistolam ad Hebraeos Commentarius. Genf 1549.

–: Joannis Calvini in omnes Divi Pauli epistolas . . . commentaria. Genf 1551. 1556.

Ed.: In Opera Omnia, CO 55 (1896; Corp. Ref. 83), 5–198.

Sebastian Castellio (Chatillon): Ad Hebraeos: Biblia. Basel 1551; Biblia Sacra. Basel 1573.

Ambrosius Catharinus Politus: Commentaria in epistolam Beati Pauli ad Hebraeos (Commentaria . . . in omnes divi Pauli et alias septem canonicas epistolas. Venedig 1551. Paris 1566).

Basilius Zanchius: Basilii Zanchii in omnes divinos libros notationes. Rom 1553. Speyer 1558. Köln 1602.

Joachim Camerarius: Notationes figurarum sermonis in scriptis apostolicis. Leipzig 1556. Cambridge 1642.

Johannes Arboreus: In Pauli ad Hebraeos Epistolam: Theosophiae vol. III. Paris 1553.

–: Doctissimi et lepidissimi Commentarii Joannis Arborei Laudonensis . . . in omnes divi Pauli epistolas. Paris 1553, 245–287.

Adamus Sasboldus (Sasbout) OM: In omnes fere D. Pauli et quorumdam aliorum Apostolorum Epistolas explicatio. Antwerpen 1561. Löwen 1556. Zürich 1673. Opp. omn. Köln 1568 (St. II, 878, 8).

Theodor Beza (de Bèze): Epistola Pauli ad Hebraeos: Novum D. N. Jesu Christi Testamentum . . . nunc denuo a Theodoro Beza versum, cum eiusdem annotationibus. Genf 1556. ²1565. ³1582. ⁴1588. ⁵1598.

Victor Strigel: ΥΠΟΜΝΗΜΑΤΑ in omnes libros Novi Testamenti. 2 Bde. Leipzig 1565.

Niels Hemmingsen: Commentarius in epistolam apostolicam ad Hebraeos. Wittenberg 1568.

–: Commentaria in omnes epistolas Apostolorum. Leipzig 1572. Frankfurt 1579. Straßburg 1586.

Mathias Flacius Illyricus: In epistolam Pauli ad Hebraeos: ΤΗΣ ΤΟΥ ΥΙΟΥ ΘΕΟΥ ΚΑΙΝΗΣ ΔΙΑΘΗΚΗΣ ΑΠΑΝΤΑ. Novum Testamentum . . . Glossa compendieria . . . in Novum Testamentum. Basel 1570, 1101–1196.

Georg Major: Enarratio epistolae ad Hebraeos praelecta a D. Georgio Maiore Wittenbergae. Wittenberg 1571.

Johannes Brenz d. J.: In epistolam quam Paulus Apostolus ad Hebraeos scripsit . . . commentarius. Tübingen 1571.

Benedictus Aretius: Commentarii in epistolam ad Hebraeos. Bern 1581.

–: Commentarii in omnes epistolas D. Pauli et canonicas itemque in Apocalypsin D. Joannis. Bern 1583 u. ö.

Rhemes New Testament: The Epistle of Paul the Apostle to the Hebrews: The New Testament of Jesus Christ, Translated Faithfully into English, out of the authentical Latin . . . with Arguments . . . Annotations . . . In the English College of Rhemes. Reims 1582.

Lucas Osiander I.: Epistola ad Hebraeos, Jacobi . . . et Apocalypsis Joannis (Bd. 8 der Bibel-Ausgabe Osianders). Tübingen 1573–1586.

G. Hunnius: Exegesis epistolae ad Hebraeos. Frankfurt 1586.

Johann Jakob Grynaeus: Explanatio epistolae S. Apostoli Pauli ad Hebraeos. Basel 1587.

Giovanni Antonio Delfino: Commentarii in Evang. Joannis et in epistolam ad Hebraeos. Rom 1587.

Benito Arias Montano: In epistolam D. Pauli ad Hebraeos elucidationes (1586): Benedicti Ariae Montani Elucidationes in omnia sanctorum Apostolorum scripta. Antwerpen 1588, 299–351.

Franciscus Junius: Sacrorum Parallelorum libri tres . . . Epistolae ad Hebraeos . . . commentarius. Heidelberg 1588. London 1588. 1591.

Antonius Scaynus: Paraphrasis in omnes Sancti Pauli Epistolas cum adnotationibus . . . Venedig 1589.

Miguel de Palacios: Enarrationes in epistolam Beati Pauli Apostoli ad Hebraeos. Salamanca 1590.

Nikolaus Selnecker: In omnes epistolas Divi Pauli apostoli commentarius plenissimus. Leipzig 1595.

Francisco de Ribera: Commentarius in Epistolam ad Hebraeos. Salamanca 1598 u. ö.

Emmanuel Sa: Notationes in totam Scripturam Sacram. Antwerpen 1598.

17. Jahrhundert

David Rungius: Analysis et disputationes in epistolam ad Hebraeos. Wittenberg 1600.

Alfonso Salmeron: Disputationum in Epistolas divi Pauli. Madrid 1615 (Opp. Omn. VIII, 646–790).

Jodocus Nahum: Commentarius in epistolam ad Ebraeos. Hannover 1602.

Friedrich Balduinus: Comm. in omnes epp. Pauli. Wittenberg 1608 u. ö.

Ludovicus Tena (Luis de Tena): Commentaria et disputationes in Epistolam D. Pauli ad Hebraeos . . . Toledo 1611. London 1661.

Johannes Drusius: Annotationum in totum Jesu Christi Testamentum sive Praeteritorum Libri decem. Franeker 1612.

Nicolaus Serarius: Prolegomena Bibliaca et Commentaria in omnes epistolas canonicas. Mainz 1612.

Benedictus Justinianus (Benedetto Giustiniani): In omnes Beati Pauli Apostoli epistolas explanationum tom. I. II. Lyon 1612–1613.

David Pareus: In divinam ad Hebraeos Sancti Pauli Apostoli epistolam commentarius. Genf 1614. Frankfurt 1628.

–: Commentaria in varios S. Script. locos. 2 Bde. Frankfurt 1628 u. ö.

Cornelius a Lapide: Commentarius in omnes D. Pauli epistolas. Antwerpen 1614. 1635. Paris 1631.

Guilielmus Estius: In omnes Pauli epistolas item in Catholicas Commentarii. 2 Bde. Douai 1614–1616. Paris 1623 u. ö. Mainz 1844 (VI). Paris 1892.

A. Tostat: Commentarius in Hebr. Venedig 1615.

Polycarp Lyserius d. J.: Commentarius in epistolam ad Ebraeos. Wittenberg 1616.

Juan de Mariana: Scholia in Vetus et Novum Testamentum. Paris 1620.

Joseph Scaliger. ΤΗΣ ΚΑΙΝΗΣ ΔΙΑΘΗΚΗΣ ΑΠΑΝΤΑ. Novum Iesu Christi D. N. Testamentum cum notis Josephi Scaligeri. Genf 1620. London 1622 u. ö.

Jean Caméron: Ad quaestiones in epistolam ad Hebraeos: Praelectiones. 3 Bde. Saumur 1626–1628 (III, 129–267).

–: Ad Hebraeos: Myrothecium Evangelicum. Genf 1632, 286–337.

Joh. Steph. Menochius (Giov. Stef. Menochio): Brevis explicatio sensus literalis Sacrae Scripturae. Köln 1630. Lyon 1631. 1697. Wiederabdr.: De Carriere, La Sainte Bible, Paris 1856, VI, 400–448.

G. Gordon: Novum Testamentum latine et graece cum commentariis . . . Paris 1632.

Jacobus Tirinius: Commentarius in Sacram Scripturam. Antwerpen 1632. Venedig 1724.

Jonasz Schlichting: Commentaria in epistolam ad Hebraeos. Rakau 1634.

Charlotte des Ursins: Homilies sur l'Epistre de Saint Paul aux Hébreux. Paris 1634.

David Dickson: A Short Explanation of the Epistle of Paul to the Hebrews. Aberdeen 1635. Dublin 1637. Cambridge 1649.

–: Expositio analytica omnium Apostolicorum Epistolarum. Glasgow 1645.

–: An Exposition of All St. Paul's Epistles. London 1659.

William Jones: A Commentary upon the Epistles of St. Paul to Philemon, and to the Hebrewes, together with a Compendious Explication of the Second and Third Epistles of St. John. London 1636.

Charles Rapine: Exposition paraphrastique de l'Epistre de l'apostre S. Paul aux Hébreux. Paris 1636.

Antoine Godeau: Paraphrase sur l'Epistre de sainct Paul aux Hébreux. Paris 1637. Rouen 1653. Lyon 1685 u. ö.

Jean Bence: Manuale in omnes Divi Pauli Epistolas et in septem Canonicas. Paris 1638.

Nicolas Guillebert: L'Epistre de saint Pol aux Hébreux, avec toutes les Epistres canoniques. Paris 1638.

Johann Quistorp: In divinam ad Hebraeos epistolam commentarius analyticus. Rostock 1638.

–: Annotationes in omnes libros biblicos. 2 Bde. Frankfurt u. Rostock 1648.

Johann Gerhardus: Commentarius super epistolam ad Hebraeos. Jena 1641.

Franciscus Gomarus: Analysis Epistolae Pauli ad Hebraeos: Opp. Theol. Omn. 2 Bde. Amsterdam 1644 (II, 285–369).

Luigi Novarini: Ad Hebraeos: Paulus expensus notis . . . 370–400. Verona 1644. Lyon 1645.

Jean de Saint-Martial: Explication familière de l'Epistre de S. Paul aux Hébreux. Paris 1644.

Hugo Grotius: Ad Hebraeos: Annotationes in Acta Apostolorum et in Epistolas catholicas. Paris 1646, 787–896; Opp. Omn. Theol. Amsterdam 1679 (II, 1010–1069); Neudruck Stuttgart-Bad Cannstatt 1972 (II/2).

Michael Walter: Der güldene schlüssel des Alten und der süsse kern des Newen Testaments: das ist . . . erläuterung der . . . Epistel S. Pauli an die Ebraeer . . . Nürnberg 1646.

Friedrich Balduin: Commentarius in omnes epistolas Pauli . . . nec non XI ad Hebraeos. Frankfurt 1654/1655.

William Gouge: A Learned and Very Useful Commentary on the Whole Epistle to the Hebrews. London 1655.

–: Annotations upon All the Books of the Old and Newe Testament. 2 Bde. London 1657.

Anonymi Praelectiones in ep. ad Hebr. Cod. Erlang. 907. 1654–1655 (F. Delitzsch, S. XXXIV).

Conrad Horneius: In epistolam sancti Apostoli Pauli ad Hebraeos expositio litteralis. Braunschweig 1655.

Joh. Crell: Opera Omnia exegetica sive eius in plerosque Novi Testamenti libros commentarii. Amsterdam 1656 (II, 61–267).

Jacques Cappel: Observationes in epistolam ad Hebraeos. Amsterdam 1657.

Erasmus Schmid: Versio N.T. nova . . . et notae ac animadversiones. Nürnberg 1658.

John Pearson: Critici Sacri sive doctissimorum virorum in SS. Biblia annotationes et tractatus. 9 Bde. London 1660. Frankfurt 1695–1696 (Bd. V). Amsterdam 1698 (Bd. VII).

Caspar Streso: Commentarius analytico-practicus in epistolam ad Hebraeos. Den Haag 1661.

George Lawson: An Exposition of the Epistle to the Hebrews. London 1662.

Libert Froidmont: Commentaria in omnes Beati Pauli Apostoli et septem canonicas aliorum Apostolorum epistolas. Löwen 1663.

–: Commentaria in Sanctam Scripturam. 2 Bde. Paris 1670 u. ö.

John Owen: Exercitations on the Epistle to the Hebrews. 4 Bde. London 1668–1684; gekürzte Ausg.: London 1790; The Works of J. Owen, Edinburgh 1854, Bd. 18. 19.

Abraham Calov: Biblia N.T. illustrata. 4 Bde. Frankfurt 1672–1676; deutsch: Wittenberg 1681–1682.

M. Poll: Synopsis criticorum aliorumque S. Scriturae interpretum. London 1676 (IV, 1173–1411).

Seb. Schmidt: In epistolam D. Pauli ad Hebraeos commentaria. Straßburg 1680.

Chr. Wittich: Investigatio epistolae ad Hebraeos. Amsterdam 1692.

Theodor Akersloot: Das Sendschreiben des Apostels Paulus an die Hebräer. Haag 1695; deutsch: Bremen 1714.

Sam. Szattmar Nemethus: Epistola Sancti Pauli ad Hebraeos explicata. Franeker 1695.

18. Jahrhundert

J. Fell: A Paraphrase and Annotations upon all St. Paul's Epistles. London 1702 (367–419).

B. de Picquigny, Epistolarum B. Pauli triplex expositio. Paris 1703 (1295–1486).

Joh. Braunius: Commentarius in epistolam ad Hebraeos. Amsterdam 1705.

C. E. Brockmann, Commentarius in epistolam ad Hebraeos. Kopenhagen 1706.

G. Oleari: Analysis logica epistolae ad Hebraeos. Leipzig 1706.

S. de Sacy: Epîtres de saint Paul. Paris 1708 (IV, 405–818).

Noël Alexandre: Commentarius litteralis et moralis in omnes epistolas sancti Pauli apostoli. Rouen 1710.

Henr. Bened. Starkius (Starck): Notae selectae criticae philologicae exegeticae in epistolam Pauli ad Hebraeos. Leipzig 1710.

Phil. a Limborch: Commentarius in Acta Apostolorum et in epistolas ad Romanos et ad Hebraeos. Rotterdam 1711.

Joh. d'Outrein: Der Brief Pauli an die Hebräer. Amsterdam 1711; deutsch: Frankfurt 1713–1718 (2 Bde.).

Dom Calmet: Commentaire littéral sur les Epîtres de Saint Paul. Paris 1716 (II, 552–789).

J. G. Dorschei: In epistolam divi Pauli ad Hebraeos. Frankfurt 1717.

J. Peirce: A Paraphrase and Notes on the Epistle to Hebrews. London 1727–1733.

Joh. Christ. Wolf: Curae philologicae et criticae in X posteriores Pauli epistolas. Hamburg 1734. ⁴1738.

I. de Beausobre et Lenfant: Le Nouveau Testament de Notre Seigneur Jésus-Christ traduit en français avec des notes littérales pour éclaircir le texte. Amsterdam 1736 (II, 413–496).

J. A. Bengel: Gnomon Novi Testamenti. Tübingen 1742 (891–980).

J. J. Rambach: Gründliche und erbauliche Erklärung der Epistel Pauli an die Hebräer. Frankfurt 1742.

J. B. Carpzov: Sacrae exercitationes in S. Pauli epistolam ad Hebraeos ex Philone Alexandrino, Helmstedt 1750.

Joh. Jakob Wettstein: Η ΚΑΙΝΗ ΔΙΑΘΗΚΗ. Novum Testamentum Graecum . . . Amsterdam 1752 (II, 383–446).

Joh. Andreas Cramer: Erklärung des Briefs Pauli an die Hebräer. Kopenhagen und Leipzig 1757.

Fr. Chr. Steinhofer: Tägliche Nahrung des Glaubens aus der Erkenntnis Jesu nach den wichtigen Zeugnissen der Epistel an die Hebräer. Tübingen 1761.

Joh. David Michaelis: Erklärung des Briefs an die Hebräer. 2 Bde. Frankfurt 1762–1764. ²1780–1786.

Siegmund Jakob Baumgarten: Erklärung des Briefs St. Pauli an die Hebräer . . . Halle 1763.

Johann Rudolph Kiessling: Richtige Verbindung mosaischer Alterthümer mit der Auslegung des Sendschreibens des h. Apostels Paulus an die Hebräer. Erlangen 1765.

Christ. Frid. Schmid: Observationes super epistolam ad Hebraeos historicae, criticae, theologicae. Leipzig 1766.

G. Tr. Zacharias: Paraphrastische Erklärung des Briefs an die Hebräer. Göttingen 1771.

Sam. Fr. Nathan Morus: Der Brief an die Hebräer. Leipzig ²1781.

J. Chr. Blasche: Systematischer Kommentar über den Brief an die Hebräer. 2 Bde. Leipzig 1782–1786.

Gottlob Chr. Storr: Pauli Brief an die Hebräer erläutert. Tübingen 1789. ²1809.

Joh. Heinr. Heinrichs: Pauli epistola ad Hebraeos graece, perpetua adnotatione illustrata. Göttingen 1792. ²1823.

J. A. Ernesti: Praelectiones academicae in epistolam ad Hebraeos. Leipzig 1795.

2. Kommentare
des 19. und 20. Jahrhunderts

19. Jahrhundert

Johannes Nep. Alber: Interpretatio Sacrae Scripturae per omnes Veteris et Novi Testamenti libros. Tom. XVI: Epistola B. Pauli ad Hebraeos . . . Pest 1804.

Ludwig Caspar Valckenaer: Selecta e Scholis Lud. Casp. Valckenarii in libros quosdam Novi Testamenti editore discipulo Ev. Wassenbergh. Tom. II: In quo Scholae in . . . Ep. ad Hebr. Amsterdam 1817.

David Schulz: Der Brief an die Hebräer. Breslau 1818.

Archibald McLean: A Paraphrase and Commentary on the Epistle to the Hebrews. 2 Bde. London 1820.

Christ. Frid. Boehme: Epistolam ad Hebraeos latine vertit atque commentario instruxit perpetuo. Leipzig 1825.

Moses Stuart: Commentary on the Epistle to the Hebrews. 2 Bde. Andover 1827–1828. London 1833 u. ö.

Friedrich Bleek: Der Brief an die Hebräer. 3 Bde. Berlin 1828–1840.

Christ. Theoph. Kuinoel: Commentarius in Epistolam ad Hebraeos. Leipzig 1831.

J. G. Rosenmüller: Scholia in Novum Testamentum. V, 154–337. Nürnberg 1831.

Heinrich Klee: Auslegung des Briefes an die Hebräer. Mainz 1833.

Eb. Paulus: Ermahnungsschreiben an die Hebräerchristen. Heidelberg 1833.

Th. Parry: Practical exposition of St. Paul's Epistle to the Hebrews. London 1834.

A. Tholuck: Kommentar zum Briefe an die Hebräer. Hamburg 1836. ²1840. ³1850.

Otto von Gerlach: Das Neue Testament. Bd. II. Berlin 1837.

A. Gügler: Privatvorträge über den Brief an die Hebräer. Sarmenstorf 1837.

Karl Wilh. Stein: Der Brief an die Hebräer theoretisch-practisch erklärt. Leipzig 1838.

S. T. Bloomfield: H KAINH ΔIAΘHKH. The Greek Testament with English Notes, Critical, Philological and Explanatory (II, 462–552). London 1839.

Chr. F. Fritzsche: Kritische Beiträge zur Erklärung des Briefes an die Hebräer. Leipzig 1840.

R. Stier: Der Brief an die Hebräer in sechs und dreißig Betrachtungen ausgelegt. Braunschweig 1842. ²1862.

C. Lombard: Commentarius in Epistolam ad Hebraeos. Regensburg 1843.

W. M. L. de Wette: Kurze Erklärung der Briefe an Titus, Timotheus und die Hebräer. Leipzig 1844. ²1847. ³1867 (hrsg. v. W. Möller).

F. X. Massi: Erklärung der heiligen Schriften des Neuen Testaments. Regensburg 1845–1846 (X, 75–242; XI, 1–240).

F. D. Maurice: The Epistle to the Hebrews. London 1846.

H. G. J. Thiersch: De epistola ad Hebraeos commentatio historica. Marburg 1847.

L. Stengel: Erklärung des Briefes an die Hebräer. Karlsruhe 1849.

Joh. Heinr. Aug. Ebrard: Der Brief an die Hebräer (Bibl. Comm. von Herrmann Olshausen V/2). Königsberg 1850 (engl. Übers.: Biblical Commentary on the Ep. to the Hb. Edinburgh 1853).

114 Bibliographie

A. Arnaud: Essais de commentaires sur les Epîtres de Saint Paul. Lyon 1853.

J. G. Reiche: Commentarius Criticus in Novum Testamentum (V/3). Göttingen 1853–1862.

J. F. d'Allioli: Nouveau Commentaire littéral . . . sur tous les livres des divines Ecritures (X, 131–207). Paris 1853.

August Bisping: Erklärung des Briefes an die Hebräer (Exeget. Handb. zu den Briefen des Apostels Paulus III/2). Münster 1854. ²1864.

Gottlieb Lünemann: Kritisch exegetisches Handbuch über den Hebräerbrief (Krit.-exeg. Komm. v. H. A. W. Meyer, 13). Göttingen 1855. ²1861. ³1867. ⁴1878.

William Tait: Meditationes Hebraicae: or, a Doctrinal and Practical Exposition of the Epistle of St. Paul to the Hebrews. 2 Bde. London ²1855.

A. S. Patterson: A Commentary, Expository and Practical on the Epistle to the Hebrews. Edinburgh 1856.

J. H. R. Biesenthal: Epistola Pauli ad Hebraeos cum rabbinico commentario. Berlin 1857.

F. Delitzsch: Commentar zum Briefe an die Hebräer. Leipzig 1857.

Henry and Scott: The Epistle to the Hebrews (The Holy Bible, VI). London s. a. (ca. 1860).

Carl Bernhard Moll: Der Brief an die Hebräer (Theolog.-homilet. Bibelwerk hrsg. v. J. P. Lange, 12). Bielefeld 1861. ²1865. ³1877.

Ad. Maier: Commentar über den Brief an die Hebräer. Freiburg i. Br. 1861.

John Brown: An Exposition of the Epistle of the Apostle Paul to the Hebrews. 2 Bde. Edinburgh 1862 (Neudr. London 1972).

C. Schweighäuser: La loi et la grâce. Paraphrase de l'Epître aux Hébreux. Paris 1862.

K. Kluge: Der Hebräerbrief. Auslegung und Lehrbegriff. Neu-Ruppin 1863.

M. Kähler: Der Inhalt des Hebräerbriefes in genauer Wiedergabe des Gedankenganges entwickelt (als Manuskript zum Gebrauche für die Vorlesung gedruckt). Bonn 1865.

J. H. Kurtz: Der Brief an die Hebräer. Mitau 1869.

H. Ewald: Das Sendschreiben an die Hebräer und Jakobos' Rundschreiben übersetzt und erklärt. Göttingen 1870.

J. B. McCaul: The Epistle to the Hebrews, in a Paraphrastic Commentary, with Illustrations from Philo, the Targums, the Mishna and Gemara, the Later Rabbinical Writers and Christian Annotators. London 1871.

Drach: Les Epîtres de Saint Paul. Paris 1871 (681–801).

J.-M. Guillemon: Clef des épîtres de Saint Paul. Paris 1871 (II, 269–407).

J. Chr. K. von Hofmann: Der Brief an die Hebräer (Die hl. Schrift des NT zusammenhängend untersucht, Bd. 5, 53–561). Nördlingen 1873.

E. Woerner: Der Brief St. Pauli an die Hebräer. Ludwigsburg 1876.

Ed. Reuss, L'Epître aux Hébreux. Paris 1878.

W. F. Moulton: The Epistle to the Hebrews. London 1878.

L. Zill: Der Brief an die Hebräer. Mainz 1879.

M. Kähler: Der Hebräerbrief. Halle 1880. ²1889.

W. Kay: Commentary on the Epistle to the Hebrews. London 1881.

J. M. Péronne: Analyse logique et raisonnée des Epîtres de Saint Paul. Paris 1881 (II, 467–640).

A. B. Davidson: The Epistle to the Hebrews. Edinburgh 1882.

J. E. Field: The Apostolic Liturgy and the Epistle to the Hebrews, Being a Commentary on the Epistle in its Relation to the Holy Eucharist . . . London 1882.

A. F. Maunoury: Commentaire sur l'Epître de Saint Paul aux Hébreux. Paris 1882.

J. Panek: Commentarius in Epistolam Beati Pauli Apostoli ad Hebraeos. Innsbruck 1882.

O. Holtzheuer: Der Brief an die Ebräer ausgelegt. Berlin 1883.

W. F. Moulton: The Epistle of Paul the Apostle to the Hebrews (A N.T. Comm. ed. Ellicott, III, 275–348). London 1883.

F. Rendall: The Epistle to the Hebrews in Greek and English with Critical and Explanatory Notes. London 1883.

Carl Friedrich Keil: Commentar über den Brief an die Hebräer. Leipzig 1885.

Th. Ch. Edwards: The Epistle to the Hebrews (The Expositor's Bible). London ²1888.

Bernhard Weiss: Kritisch exegetisches Handbuch über den Hebräerbrief (Krit.-exeg. Komm. v. H. A. W. Meyer, 13). Göttingen 1888. ⁶1897.

F. W. Farrar: The Epistle of Paul the Apostle to the Hebrews (CGT). Cambridge 1888.

R. Kübel: Die Pastoralbriefe und der Hebräerbrief ausgelegt (Strack-Zöckler, Kurzgefaßter Komm. 4). Nördlingen 1888. ²München 1898 (rev. v. E. Riggenbach).

Brooke Foss Westcott: The Epistle to the Hebrews. London 1889. ²1892. ³1903 (Neudr. Grand Rapids s. a.).

C. J. Vaughan: ΠΡΟΣ ΕΒΡΑΙΟΥΣ. The Epistle to the Hebrews with Notes. London 1890.

F. B. Meyer: The Way into the Holiest. Expositions of the Epistle to the Hebrews. London s. a.

H. von Soden: Der Brief an die Hebräer (Hand-Comm. zum NT v. H. J. Holtzmann, 3). Freiburg i. Br. 1890. ²1892. ³1899.

Aloys Schäfer: Erklärung des Hebräerbriefes (Die Bücher des NT, 5. Bd.). Münster 1893.

A. Murray: Eene verklaring van den Brief aan de Hebreeën. Amsterdam 1893 (engl.: London 1894).

H. Alford: The Greek Testament (IV, 1–273). London 1894.

A. Saphir: The Epistle to the Hebrews. London 1894.

A. Padovani: Commentarius in Epistolam ad Hebraeos. Paris 1897.

A.-B. Bruce, The Epistle to the Hebrews, the First Apology for Christianity. Edinburgh 1899.

J. A. van Steenkiste: Sancti Pauli epistolae breviter explicatae ad usum seminariorum et cleri (II, 470–639). Brügge 1899.

20. Jahrhundert

C. Huyghe: Commentarius in Epistolam ad Hebraeos. Gent 1901.

A. S. Peake: The Epistle of Paul the Apostle to the Hebrews (The Century Bible). Edinburgh s. a. (1902).

J. S. F. Chamberlain: The Epistle to the Hebrews. 1904.

L.-C. Fillion: La Sainte Bible (VIII, 538–623). Paris 1904.

A. Lemonnyer: Epîtres de S. Paul (II, 197–260). Paris 1905.

W. P. du Bose: High Priesthood and Sacrifice. An Exposition of the Epistle to the Hebrews. London 1908.

E. J. Goodspeed: The Epistle to the Hebrews (Bible for Home and School). London 1908.

M. Seisenberger: Erklärung des Briefes an die Hebräer für Studium und allgemeines Verständnis. Regensburg 1909.

F. Niebergall: Praktische Auslegung des Neuen Testaments für Prediger und Religionslehrer. II. Die paulinischen Briefe, Katholische Briefe, Hebräerbrief und Apokalypse (Handb. z. NT). Tübingen 1909, 256–273.

A. Schlatter, Erläuterungen zum Neuen Testament (III, 183–338). Stuttgart 1910. ⁴1928. ⁵1938 (220–436).

E. C. Wickham: The Epistle to the Hebrews (Westminster Commentaries). London 1910. ²1922.

Marcus Dods: The Epistle to the Hebrews (The Expositor's Greek Testament). New York 1910.

P. Lanier: Les Epîtres de Saint Paul. Paris 1911 (459–579).

G. Laperrine d'Hautpoul: Lettres sur l'Epître de Saint Paul aux Hébreux. Paris ²1911.

A. F. Mitchell: Hebrews and the General Epistles, with Introduction and Notes (Westminster NT). London 1911.

Alfred Seeberg: Der Brief an die Hebräer (Ev.-theol. Bibliothek). Leipzig 1912.

I. Rohr: Der Hebräerbrief (Die Hl. Schrift des NT, 10). Bonn 1912. ⁴1932.

J. G. Radford: The Eternal Inheritance. Exposition from the Epistle to the Hebrews. London 1913.

E. Riggenbach: Der Brief an die Hebräer (Kommentar zum NT, hrsg. v. Th. Zahn, 14). Leipzig–Erlangen 1913. ²·³·1922.

H. Windisch: Der Hebräerbrief (HNT 14), Tübingen 1913. ²1931.

J. Nikel: Der Hebräerbrief (Bibl. Zeitfragen VII, 6). Münster 1914.

M. Sales: Il Nuovo Testamento Commentato. II. Le Lettere degli Apostoli. Torino ²1914.

Alexander Nairne: The Epistle to the Hebrews (Cambridge Greek Testament). Cambridge 1917.

Julius Graf: Der Hebräerbrief. Wissenschaftlich-praktische Erklärung. Freiburg Br. 1918.

W. H. G. Holmes: The Epistle to the Hebrews (The Indian Church Commentaries). London 1919.

A. R. Haberson: The Epistle of Paul the Apostle to the Hebrews. London 1920.

A. Nairne: The Epistle to the Hebrews (The Cambridge Bible for Schools and Colleges). Cambridge 1921.

S. R. Anderson: The Hebrew's Epistle in the Light of the Types. London ²1921.

F. W. Grosheide: De Brief aan de Hebreeën (Korte Verklaring der Heilige Schrift, 27). Kampen 1922.

E. F. Scott: The Epistle to the Hebrews. Its Doctrine and Significance. Edinburgh 1922.

J. H. Wade: The Epistle to the Hebrews. London 1923.

W. H. Boulton: The Epistle to the Hebrews. London 1924.

J. Moffatt: A Critical and Exegetical Commentary on the Epistle to the Hebrews (The International Critical Commentary). Edinburgh 1924.

A. Murray: The Holiest of All. An Exposition of the Epistle to the Hebrews. London 1924.

Theodor Haering: Der Brief an die Hebräer. Stuttgart 1925.

Oskar Holtzmann: Das Neue Testament nach dem Stuttgarter griechischen Text übersetzt und erklärt (II, 777–822). Gießen 1926.

W. R. Inge, H. L. Goudge: Hebrews (Stud. Bibl. V, 4). London 1926.

J. Ch. Steen: Christ Supreme. An Exposition of the Epistle to the Hebrews. Kilmarnock 1926.

H. Strack, P. Billerbeck: Kommentar zum Neuen Testament aus Talmud und Midrasch (III, 671–750). München 1926.

G. Geslin: Jésus apôtre de Dieu et prêtre des hommes. Paris 1927.

F. H. Grosheide: De Brief aan de Hebreeën en de Brief van Jakobus (Commentaar op het Nieuwe Testament). Kampen 1927.

S. G. Gayford: The Epistle to the Hebrews (A New Commentary on Holy Scripture). New York 1928.

H. T. Andrews: Hebrews (The Abington Bible Commentary). New York 1929.

Dom P. Delattre: Les Epîtres de Saint Paul (II, 269–470). Paris 1929.

F. D. V. Narborough: The Epistle to the Hebrews (The Clarendon Bible). Oxford 1930. ⁶1952.

P. Boylan: The Epistle to the Hebrews (The Westminster Version of the Sacred Scriptures, 4). London 1931.

Ch. J. Callan: The Epistles of Paul. New York 1931.

J. Hastings: The Epistle to the Hebrews (The Speaker's Bible). Aberdeen 1931.

W. Loew: Der Glaubensweg des Neuen Bundes. Berlin 1931.

W. H. Isaacs: The Epistle to the Hebrews. Oxford 1933.

T. H. Robinson: The Epistle to the Hebrews (The Moffatt New Testament Commentary). London 1933. 1953.

Ch. R. Erdmann: The Epistle to the Hebrews. Philadelphia 1934.

V. Burch: The Epistle to the Hebrews. Its Source and Message. London 1936.

A. H. M. Lépicier: In Epistolam S. Pauli ad Hebraeos Commentarius. Roma 1936.

Otto Michel: Der Brief an die Hebräer (Krit. exeg. Komm. über das NT, 13). Göttingen [7]1936. [8]1949. [9]1955. [10]1957. [11]1960. [12]1966.

H. Strathmann: Der Brief an die Hebräer (NTD 9). Göttingen 1935. [6]1953. [8]1963.

J. T. Hudson: The Epistle to the Hebrews, its Meaning and Message. Edinburgh 1937.

R. Ch. H. Lenski: The Interpretation of the Epistle to the Hebrews and the Epistle of James. Columbus (Ohio) 1937. [2]1946. [3]1960.

A. Médebielle: Epître aux Hébreux (La Sainte Bible, 12). Paris 1938. [3]1951.

E. Reisner: Der Brief an die Hebräer. Betrachtungen. München 1938.

J. Schneider: Der Hebräerbrief übersetzt und ausgelegt. Leipzig 1938. Kassel [2]1954.

H. E. Mueller: The Letter to the Hebrews. Minneapolis 1939.

P. Trempela: Ὑπόμνημα εἰς τὴν πρὸς Ἑβραίους ἐπιστολὴν καὶ τὰς ἑπτὰ καθολικάς. Athen 1941.

J. Bonsirven: Saint Paul. Epître aux Hébreux (Verbum Salutis, XII). Paris 1943.

J.-S. Javet: Dieu nous parla. Commentaire sur l'Epître aux Hébreux. Neuchatel-Paris 1945.

W. R. Newell: Hebrews Verse by Verse. Chicago 1947.

K. S. Wuest: Hebrews in the Greek New Testament. Michigan 1947.

W. E. Daniels: The Epistle to the Hebrews. London 1949.

B. Frost: To the Hebrews. A Dogmatic and Devotional Commentary. London 1948.

P. Ketter: Hebräerbrief (Die Hl. Schrift für das Leben erklärt, XVI/1). Freiburg i. Br. 1950.

A. S. Way: The Letters of St. Paul to Seven Churches and Three Friends, with the Letter to the Hebrews. London 1950.

G. H. Lang: The Epistle to the Hebrews. London 1951.

Teodorico da Castel S. Pietro: L'Epistola agli Ebrei. Torino–Roma 1952.

W. E. Vine: The Epistle to the Hebrews. Christ All Excelling. London–Edinburgh 1952.

C. Spicq: L'Epître aux Hébreux (Etudes Bibliques). 2 Bde. Paris 1952–1953.

O. Kuss: Der Brief an die Hebräer (RNT 8). Regensburg 1953. ²1966.

W. Leonard: The Epistle to the Hebrews (A Catholic Commentary on Holy Scripture). London 1953.

J. Héring: L'Epître aux Hébreux (Commentaire du Nouveau Testament, 12). Neuchatel–Paris 1954 (engl.: The Epistle to the Hebrews. ET. London 1970).

W. Neil: The Epistle to the Hebrews (Torch Bible Commentaries). London 1955. ²1959.

A. C. Purdy, J. H. Cotton: The Epistle to the Hebrews (The Interpreter's Bible, XI). New York 1955.

W. Barclay: The Letter to the Hebrews (The Daily Study Bible). Edinburgh 1955. ²1957. ³1963.

F. C. Grant: The Epistle to the Hebrews. New York 1956.

G. L. Archer: The Epistle to the Hebrews. A Study Manual (The Shield Bible Study Series). Grand Rapids 1957. ²1961.

A. Snell: A New and Living Way. An Exposition of the Epistle to the Hebrews. London 1959.

T. Hewitt: The Epistle to the Hebrews (TNT). London 1960.

J. W. Bowman: Hebrews, James, I and II Peter. London 1962.

F. F. Bruce: The Epistle to the Hebrews. London u. Grand Rapids 1964.

Hugh Montefiore: A Commentary on the Epistle to the Hebrews (Black's New Testament Commentaries). London 1964.

Ronald Williamson: The Epistle to the Hebrews. London 1964.

Willibrord Hillmann: Der Brief an die Hebräer (Die Welt der Bibel. Kleinkommentare zur Heiligen Schrift). Düsseldorf 1965.

Otto Michel: Der Brief an die Hebräer (Krit. exeg. Komm. v. Meyer, 13). Göttingen ⁶⁽¹²⁾1966 (s. auch 1936).

S. Zedda: Lettera agli Ebrei. Roma 1967.

J. H. Davies: A Letter to Hebrews (The Cambridge Bible Commentary). Cambridge 1967.

Fritz Laubach: Der Brief an die Hebräer (Wuppertaler Studienbibel). Wuppertal 1967.

Franz Joseph Schierse: Der Brief an die Hebräer (Geistl. Schriftlesung 18). Düsseldorf 1968.

M. M. Bourke: The Epistle to the Hebrews (The Jerome Biblical Commentary). Englewood Cliffs 1968.

M. A. Patton: Carta a los Hebreos (Manual Biblico 4). Madrid 1968.

A. Cody: Hebrews (A New Catholic Commentary on Holy Scripture). London 1969.

Günther Schiwy: Weg ins Neue Testament. Kommentar und Material. IV. Bd.: Nachpaulinen. Würzburg 1970 (75–154).

William Barclay: Brief an die Hebräer. Wuppertal 1970 (engl. Originalausg. s. 1955).

A. M. Stibbs: Hebrews (The New Bible Commentary). London ³1970. (1191–1221).

P. Andriessen, A. Lenglet: De Brief aan de Hebreeën. Roermond 1971.

George Wesley Buchanan: To the Hebrews. Translation, Comment and Conclusions (The Anchor Bible). Garden City, N. Y. 1972.

Lionel Swain: Hebrews (Scripture Discussion Commentary, 12). London 1972.

August Strobel: Der Brief an die Hebräer (NTD 9). Göttingen 1975 (79–268).

James T. Draper Jr.: Hebrews. The Life that pleases God. Wheaton, Illinois 1976.

Neil R. Lightfoot: Jesus Christ Today. A Commentary on the Book of Hebrews. Grand Rapids, Michigan 1976.

Philipp Edgcumbe Hughes: A Commentary on the Epistle to the Hebrews. Grand Rapids, Michigan 1977.

C. Spicq: L'Epître aux Hébreux (Sources Bibliques). Paris 1977.

Robert Milligan: The Epistle to the Hebrews (New Testament Commentaries based on the American Revised Version). Nashville, Tennessee 1977 (verfaßt um 1860–70).

Eduard Schick: Im Glauben Kraft empfangen. Betrachtungen zum Brief an die Hebräer. Stuttgart 1978.

Robert Jewett: Letter to the Pilgrims. A Commentary on the Epistle to the Hebrews. New York 1981.

Donald Guthrie: The Letter to the Hebrews. An Introduction and Commentary (Tyndale New Testament Commentaries). Leicester–Grand Rapids 1983.

Donald A. Hagner: Hebrews (A Good News Commentary). San Francisco 1983.

Norbert Hugédé: Le sacerdoce du fils. Commentaire de l'Epître aux Hébreux. Paris 1983.

Herbert Braun: An die Hebräer (Handbuch zum NT, 14). Tübingen 1984.

II. Sonstige Literatur

Das wohl umfangreichste und sorgfältigste Verzeichnis der für den Hebräerbrief wichtigen Quellen hat OTFRIED HOFIUS, Katapausis, Tübingen 1970, 225 ff., zusammengestellt. Im folgenden werden nur diejenigen Quellen angeführt, auf die im Text ausdrücklich Bezug genommen wird. Dagegen enthält das Literaturverzeichnis auch wichtige Sekundärliteratur, auf die ich in der Darstellung nicht eingehen konnte.

Ahlborn, E.: Die Septuaginta-Vorlage des Hebräerbriefes. Diss. Göttingen 1966.

Andriessen, P./Lenglet, A.: Quelques passages difficiles de l'Epître aux Hébreux (5, 7. 11; 10, 20; 12, 2). Bibl 51 (1970), 207–220.

Andriessen, P.: Das größere und vollkommenere Zelt (Hebr 9, 11). BZ NF 15 (1971), 76–92.

–: L'Eucharistie dans l'Epître aux Hébreux. Nouv. Rev. Théol. 104 (1972), 269–277.

–: Angoisse de la mort. Nouv. Rev. Théol. 106 (1974), 282–292.

–: La communauté des « Hébreux » était-elle tombée dans le relachement? Nouv. Rev. Théol. 106 (1974), 1054–1066.

–: « Renonçant à la joie qui lui revenait ». Nouv. Rev. Théol. 107 (1975), 424–438.

D'Angelo, Mary Rose: Moses in the Letter to the Hebrews (Society of Biblical Literature, Diss. Ser. Nr. 42). Ann Arbor, Mich. 1979.

Auffret, P.: Essai sur la structure littéraire et l'interprétation d'Hébreux 3, 1–6. NTS 26 (1980), 380–396.

Bamberg, C.: Melchisedech. Erbe u. Auftr. 40 (1964), 5–21.

Barrett, C. K.: The Eschatology of the Epistle to the Hebrews, in: W. D. Davies/D. Daube (Hrsg.): The Background of the New Testament and its Eschatology. Cambridge 1956, 363–393.

Barth, Markus: The Old Testament in Hebrews. An Essay in Biblical Hermeneutics, in: W. Klassen/G. F. Snyder (Hrsg.): Current Issues in New Testament Interpretation. Essays in Honor of Otto A. Piper. London 1962, 53–78.

Bartlet, J. V.: The Epistle to the Hebrews once more. Exp. T. 34 (1922/23), 58–61.

Barton, G. A.: The Date of the Epistle to the Hebrews. JBL 57 (1938), 195–207.

Batdorf, Irvin W.: Hebrews and Qumran: Old Methods and New Directions, in: E. H. Barth/R. E. Cocroft (Hrsg.): FS. to Honor F. Wilbur Gingrich. Leiden 1972, 16–35.

Berkouwer, G. C.: Faith and Perseverance. Grand Rapids 1958.

Bertetto, D.: La natura del sacerdozio secondo Hebr 5, 1–4 e le sue realizzazioni nel Nuovo Testamento. Sal 26 (1964), 395–440.

Betz, Otto: Der Paraklet (AGSU 2). Leiden 1962.

Beyschlag, K.: Clemens Romanus und der Frühkatholizismus (Beitr. z. Hist. Theol. 35). Tübingen 1966.

Biblia Patristica. Index des Citations et Allusions Bibliques dans la Littérature Patristique (Hrsg.: Centre d'Analyse et de Documentation Patristiques). 2 Bde. Paris 1975. 1977.

Bieder, W.: Pneumatologische Aspekte im Hebräerbrief, in: H. Baltensweiler/B. Reicke (Hrsg.): Neues Testament und Geschichte. O. Cullmann z. 70. G. Zürich–Tübingen 1972, 251–259.

Black, M.: The Scrolls and Christian Origins. London 1961.

Bligh, J.: The Structure of Hebrews. The Heythrop Journ. 5 (1964), 170–177.

–: Chiastic Analysis of the Epistle to the Hebrews. Oxford 1966.

Böhlig, A.: Der jüdische und judenchristliche Hintergrund in gnostischen Texten von Nag Hammadi, in: U. Bianchi (Hrsg.): Le origini dello gnosticismo: Colloquio di Messina 13–18 Apr. 1966. Leiden 1967, 109–140.

Boendermaker, J. P.: Luthers Commentaar op de Brief aan de Hebreeën 1517–1518. Assen 1965.

Boman, Th.: Der Gebetskampf Jesu. NTS 10 (1963/64), 261–273.

Bonnard, P. E.: La traduction de Hébreux 12, 2: « C'est en vue de la joie que Jésus endura la croix ». Nouv. Rev. Théol. 107 (1975), 415 bis 423.

Bornhäuser, K.: Empfänger und Verfasser des Hebräerbriefes (Beitr. z. Förd. christl. Theol. 35, 3). 1932.

Bornkamm, G.: Das Bekenntnis im Hebräerbrief, in: Ders.: Studien zu Antike und Urchristentum (Ges. Aufs. Bd. 2; Beitr. z. Ev. Theol. Bd. 28). München 1959. ²1970, 188–203.

Bouwman, G.: Art. Hebräerbrief, in: H. Haag (Hrsg.): Bibel-Lexikon. Einsiedeln ²1968, 676–679.

Bovon, F.: Le Christ, la foi et la sagesse dans l'Epître aux Hébreux (Hébr. XI et I). Rev. Théol. Phil. 18 (1968), 129–144.

Brandenburger, E.: Text und Vorlagen von Hebr V 7–10. Nov. Test. 11 (1969), 190–224.

Braumann, Georg: Hebr 5, 7–10. ZNW 51 (1960), 278–280.

Braun, F. M.: L'arrière-fond judaïque du quatrième évangile et la communauté d'alliance. RB 62 (1955), 5–44.

Braun, Herbert: Qumran und das Neue Testament. Ein Bericht über 10 Jahre Forschung (1950–1959). Hebräer. ThR 30 (1964), 1–38.

–: Qumran und das Neue Testament. 2 Bde. Tübingen 1966.

–: Das himmlische Vaterland bei Philo und im Hebräerbrief, in: O. Böcher/K. Haacker (Hrsg.): Verborum Veritas. FS. G. Stählin z. 70. G. Wuppertal 1970, 319–327.

–: Die Gewinnung der Gewißheit in dem Hebräerbrief. ThLZ 96 (1971), 321–330.

Bream, Howard N./Weeks, W. R.: More on Hebr 12, 1. Exp. Times 80 (1969), 150–151.

Broer, Ingo: Neutestamentliche Ermahnungen an die Verkünder des Wortes (Gedanken zu Hebr 13, 7. 17 und Jak 3, 1). Bibel u. Leben 10 (1969), 80–83.

Brooks, Walter Edward: The Perpetuity of Christ's Sacrifice in the Epistle to the Hebrews. JBL 89 (1970), 205–214.

Brownlee, W. H.: Biblical Interpretation among the Sectaries of the Dead Sea Scrolls. Bibl. Archeol. 14 (1951), 54–76.

Bruce, F. F.: Biblical Exegesis in the Qumran Texts. Den Haag 1959.

–: "To the Hebrews" or "To the Essenes"? NTS 9 (1963), 217–232.

–: Recent Contributions to the Understanding of Hebrews. Exp. Times 80 (1968/69), 260–264.

–: The Kerygma of Hebrews. Interpretation 23 (1969), 3–19.

Buchanan, George Wesley: The Present State of Scholarship on Hebrews, in: J. Neusner (Hrsg.): Christianity, Judaism and other Greco-Roman Cults. Studies for Morton Smith at Sixty. I. Leiden 1975, 299–330.

Büchsel, F.: Die Christologie des Hebräerbriefes (Beitr. z. Förd. christl. Theol. 27, 2). Gütersloh 1922.

Bultmann, Rudolf: Art. εὐλαβής, εὐλαβεῖσθαι, εὐλάβεια, in: ThWBNT 2 (1935), 749–751.

–: Theologie des Neuen Testaments. Tübingen ⁵1965.

Burggaller, E.: Neuere Untersuchungen zum Hebräerbrief. ThR 12 (1910), 369–381; 409–417.

Burrows, M.: Die Schriftrollen vom Toten Meer. München 1957.

–: Mehr Klarheit über die Schriftrollen. München 1958.

Busink, Th. A.: Der Tempel von Jerusalem von Salomon bis Herodes: Eine archäologisch-historische Studie unter Berücksichtigung des westsemitischen Tempelbaus. 2 Bde. Leiden 1970. 1980.

Caird, George B.: The Exegetical Method of the Epistle to the Hebrews. Canadian Journ. Theol. 5 (1959), 44–51.

Cambier, J.: Der Hebräerbrief, in: A. Robert/A. Feuillet (Hrsg.): Einleitung in die Heilige Schrift. Bd. II: Neues Testament. Wien 1964, 482–504.

Campbell, K. M.: Covenant or Testament? Heb IX 16. 17 Reconsidered. EvQ 44 (1972), 107–111.

Carlston, C. E.: Eschatology and Repentance in the Epistle to the Hebrews. JBL 78 (1959), 296–302.

Carmignac, J.: Le genre littéraire de « Pesher » dans la Pistis-Sophia. RQ 4 (1964), 497–522.

–: Le document de Qumrân sur Melkisédeq. RQ 7 (1969/70), 343–378.

Clark, K. W.: Worship in the Jerusalem Temple after A.D. 70. NTS 6 (1959/60), 269–280.

Cody, A.: Heavenly Sanctuary ant Liturgy in the Epistle to the Hebrews. The Achievement of Salvation in the Epistle's Perspectives. St. Meinrad (USA) 1960.

–: A History of Old Testament Priesthood. Rom 1969.

Colpe, Carsten: Die religionsgeschichtliche Schule. Darstellung und Kritik ihres Bildes vom gnostischen Erlösermythus (FRLANT 78). Göttingen 1961.

Combrinck, H. J. B.: Some Thoughts on Old Testament Citations in the Epistle to the Hebrews. Neotest. 5 (1971), 37–50.

Coppens, J.: Les affinités qumrâniennes de l'Epître aux Hébreux. Nouv. Rev. Théol. 94 (1962), 128–141; 257–282.

Coste, J.: Notion grecque et notion biblique de la suffrance éducatrice. RSR 43 (1955), 481–523.

Cullmann, Oscar: The Significance of the Qumran Texts for Research into the Beginnings of Christianity, in: The Scrolls and the New Testament. New York 1957, 18–32.

–: Secte de Qumrân, Hellénistes des Actes et quatrième Evangile, in: Les Manuscrits de la Mer Morte. Colloque de Strasbourg. Paris 1957, 61–74.

Cullmann, Oscar: L'opposition contre le temple de Jérusalem, motif commun de la théologie johannique et du monde ambiant. NTS 5 (1959), 157–173.

–: Die Christologie des Neuen Testaments. Tübingen ³1963.

Dahms, John V.: The First Readers of Hebrews. Journ. Ev. Theol. Soc. 20 (1977), 365–375.

Daniélou, Jean: La communauté de Qumrân et l'organisation de l'Eglise ancienne. RHPhR 35 (1955), 104–115.

–: Qumran und der Ursprung des Christentums. Mainz 1958.

Dautzenberg, G.: Der Glaube im Hebräerbrief. BZ NF 17 (1973), 161–177.

Davies, J. H.: The Heavenly Work of Christ in Hebrews. Stud. Ev. IV (Texte u. Unters. Bd. 102). Berlin 1968, 384–389.

Delcor, M.: Melchizedek from Genesis to the Qumran Texts and the Epistle to the Hebrews. Journal for the Study of Judaism 2 (1971), 115–135.

Demarest, Bruce: A History of Interpretation of Hebrews 7, 1–10 from the Reformation to the Present (Beitr. z. Geschichte der bibl. Exegese 19). Tübingen 1976.

Dey, Lala Kalyan Kumar: The Intermediary World and Patterns of Perfection in Philo and Hebrews (SBLDS 25). Missoula 1975.

Dibelius, Martin: Geschichte der urchristlichen Literatur. Berlin und Leipzig 1926; Neudruck München 1975.

–: Der himmlische Kultus nach dem Hebräerbrief. Theol. Bl. 21 (1942), 1 ff. = Botschaft und Geschichte II. Tübingen 1965, 160–176.

Dörrie, H.: Ὑπόστασις. Wort- und Bedeutungsgeschichte. Nachr. d. Akad. d. Wiss. in Göttingen, Phil.-hist. Kl. 1955, 35–92.

–: Zu Hebr 11, 1. ZNW 46 (1955), 196–202.

–: Leid und Erfahrung. Die Wort- und Sinnverbindung παθεῖν-μαθεῖν im griechischen Denken. Akad. d. Wiss. u. d. Lit. Abhandlungen der geistes- u. sozialwiss. Kl. Jg. 1956, Nr. 5. Wiesbaden 1956.

Dunn, J. D. G.: Christology in the Making. London 1980.

Doormann, Friedrich: „Deinen Namen will ich meinen Brüdern verkünden" (Hebr 2, 11–13). Bibel und Leben 14 (1973), 245–252.

–: Der neue und lebendige Weg. Ein Vergleich der Christologien des Hebräerbriefes und des Johannesevangeliums. Zugleich ein Beitrag zur Frage nach der Einheit der Theologien im NT. Diss. Münster 1971.

Dussaut, Louis: Synopse Structurelle de l'Epître aux Hébreux. Approche d'Analyse structurelle. Paris 1981.

Edmundson, G.: The Church in Rome in the First Century. London 1913.

Eissfeldt, Otto: Einleitung in das Alte Testament. Tübingen ⁴1976.

Elliger, Karl: Studien zum Habakuk-Kommentar vom Toten Meer (Beitr. z. Hist. Theol. 15). Tübingen 1953.

Van Esbroeck, Michel: Hébr. 11, 33–38 dans l'ancienne version géorgienne. Bibl. 53 (1972), 43–64.

Feld, Helmut: Der Humanisten-Streit um Hebräer 2, 7 (Psalm 8, 6). ARG 61 (1970), 5–35.

–: Martin Luthers und Wendelin Steinbachs Vorlesungen über den Hebräerbrief. Eine Studie zur Geschichte der neutestamentlichen Exegese und Theologie (Veröff. d. Instituts f. Europ. Geschichte Bd. 62). Wiesbaden 1971.

–: Das Verständnis des Abendmahls (EdF Bd. 50). Darmstadt 1976.

Fenskam, F. C.: Hebrews and Qumrân. Neotest. 5 (1971), 9–21.

Fenton, J. C.: The Argument in Hebrews, in: E. A. Livingstone (Hrsg.): Studia Evangelica Vol. VII. Papers Presented to the Fifth International Congress on Biblical Studies held at Oxford, 1973 (Texte u. Unters. Bd. 126). Berlin 1982, 175–181.

Feuillet, A.: L'évocation de l'agonie de Jésus dans l'Epître aux Hébreux. Esprit et Vie 86 (1976), 49–57.

Filson, Floyd V.: "Yesterday": A Study of Hebrews in the Light of Chapter 13 (Studies in Bibl. Theol. Ser. 2, 4). London 1967.

Fiorenza, Elisabeth: Der Anführer und Vollender unseres Glaubens – Zum Theologischen Verständnis des Hebräerbriefes, in: J. Schreiner/ G. Dautzenberg (Hrsg.): Gestalt und Anspruch des Neuen Testaments. Würzburg 1969, 262–281.

Fischer, Karl Martin: s. Schenke.

Fitzer, Gottfried: Auch der Hebräerbrief legitimiert nicht eine Opfertodchristologie. Zur Frage der Intention des Hebräerbriefs und seiner Bedeutung für die Theologie. KuD 15 (1969), 294–319.

Fitzmyer, Joseph A.: "Now this Melchizedek . . ." (Heb 7, 1). CBQ 25 (1963), 305–321 = Ders.: Essays on the Semitic Background of the New Testament. London 1971, 221–243.

–: Further Light on Melchizedek from Qumran Cave 11. JBL 86 (1967), 25–41 = Essays, 245–267.

–: Essays on the Semitic Background of the New Testament. London 1971.

Floor, L.: The General Priesthood of Believers in the Epistle to the Hebrews. Neotest. 5 (1971), 72–82.

Flusser, D.: The Dead Sea Sect and Pre-Pauline Christianity. Scripta Hierosolymitana 4 (1958), 215–266.

Da Fonseca, L. G.: Diatheke – foedus an testamentum? Bibl. 8 (1927), 31–50; 161–181; 290–319; 9 (1928), 26–40; 143–160.

Frankowski, J.: Requies. Bonum promissum populo Dei in VT et in Judaismo (Hebr. 3, 7–4, 11). VD 43 (1965), 124–149; 225–240.

Friedrich, G.: Das Lied vom Hohenpriester im Zusammenhang von Hebr 4, 14–5, 10. Theol. Z. 18 (1962), 95–115.

Gärtner, Bertil: The Habakuk Commentary (DSH) and the Gospel of Matthew. Stud. Theol. 8 (1954), 1–24.

–: The Temple and the Community in Qumran and the New Testament. A Comparative Study in the Temple Symbolism of the Qumran Texts and the New Testament. Cambridge 1965.

126 Bibliographie

Galling, K.: Durch die Himmel hindurchgeschritten (Hebr 4, 14).
ZNW 43 (1950/51), 263 f.
Giles, Pauline: The Son of Man in the Epistle to the Hebrews. Exp.
Times 86 (1975), 328–332.
Glombitza, Otto: Erwägungen zum kunstvollen Ansatz der Paraenese im
Brief an die Hebräer – X 19–25. Nov. Test. 9 (1967), 132–150.
Gnilka, J.: Die Erwartung des messianischen Hohepriesters in den
Schriften von Qumran und im Neuen Testament. RQ 2 (1959/60),
395–426.
Gonzalez de Villapadierna, Carlos: Alienza o Testamento? Ensayo de
nueva interpretacion a Hebreos 9, 15–20, in: Studiorum Paulinorum
Congressus Internationalis Catholicus 1961 (Anal. Bibl. 17–18). Rom
1963, II, 153–160.
Gourgues, Michel: Lecture christologique du Psaume 110 et fête de la
Pentecôte. Rev. Bibl. 83 (1976), 5–24.
–: A la droite de Dieu. Résurrection de Jésus et actualisation du Ps. 110, 1
dans le N.T. (Et. Bibl.). Paris 1978.
Grässer, Erich: Der Hebräerbrief 1938–1963. ThR NF 30 (1964), 138–236.
–: Der Glaube im Hebräerbrief (Marburger Theol. Stud. 2). Marburg
1965.
–: Der historische Jesus im Hbr. ZNW 56 (1965), 76–82.
–: Hebr 1, 1–4. Ein exegetischer Versuch. EKK 3 (1971), 55–91.
–: Das Heil als Wort. Exegetische Erwägungen zu Hebr 2, 1–4, in: H. Bal-
tensweiler/B. Reicke (Hrsg.): Neues Testament und Geschichte.
O. Cullmann zum 70. G. Zürich–Tübingen 1972, 261–274.
–: Zur Christologie des Hebräerbriefes. Eine Auseinandersetzung mit
H. Braun, in: H.-D. Betz/L. Schottroff (Hrsg.): Neues Testament und
christliche Existenz. FS. H. Braun z. 70. G. Tübingen 1973, 195–206.
–: Beobachtungen zum Menschensohn in Hebr 2, 6, in: R. Pesch/
R. Schnackenburg (Hrsg.): Jesus und der Menschensohn. Für A. Vögt-
le. Freiburg 1975, 404–414.
–: Rechtfertigung im Hebräerbrief, in: Joh. Friedrich u. a. (Hrsg.): Recht-
fertigung. FS. E. Käsemann zum 70. G. Tübingen–Göttingen 1976,
79–93.
–: Die Heilsbedeutung des Todes Jesu in Hebräer 2, 14–18, in: C. An-
dresen/G. Klein (Hrsg.): Theologia Crucis – Signum Crucis. FS. f.
E. Dinkler. Tübingen 1979, 165–184.
–: Exegese nach Auschwitz? Kritische Anmerkungen zur hermeneutischen
Bedeutung des Holocaust am Beispiel von Hebr 11. KuD 27 (1981),
152–163.
–: Die Gemeindevorsteher im Hebräerbrief, in: H. Schröer/G. Müller
(Hrsg.): Vom Amt des Laien in Kirche und Theologie. FS. G. Krause
zum 70. G. Berlin 1982, 67–84.
–: Mose und Jesus. Zur Auslegung von Hebr 3, 1–6. ZNW 75 (1984),
1–23.

Graham, A. A. K.: Mark and Hebrews, in: Studia Evangelica IV (Texte u. Unters. Bd. 102). Berlin 1968, 411–416.

Grant, Robert M.: A Historical Introduction to the New Testament. London 1963.

Graystone, G.: The Dead Sea Scrolls and the New Testament. Irish Theol. Quart. 22 (1955), 214–230; 329–346; 23 (1956), 25–48; 24 (1957), 238–258.

Greer, Rowan A.: The Captain of our Salvation. A Study in the Patristic Exegesis of Hebrews (Beitr. z. Gesch. d. bibl. Exegese 15). Tübingen 1973.

Grogan, G. W.: Christ and His People: An Exegetical and Theological Study of Hebr 2, 5–18. Vox Ev. 6 (1969), 54–71.

Grundmann, W.: Art. δόκιμος, ἀδόκιμος, δοκιμή, δοκίμιον, δοκιμάζω, ἀποδοκιμάζω, δοκιμασία. ThWBNT 2 (1935), 258–264.

Guthrie, Donald: New Testament Introduction. London 1961–1962. ³1970.

Guttmann, A.: The End of the Jewish Sacrificial Cult. Hebrew Union College Annual 38 (1967), 137–148.

Gyllenberg, Rafael: Die Christologie des Hebräerbriefes. Z. Syst. Theol. 11 (1934), 662–690.

–: Die Komposition des Hebräerbriefes. Svensk Exegetisk Årsbok 22/23 (1957/58), 137–147.

Haacker, Klaus: Creatio ex auditu. Zum Verständnis von Hebr 11, 3. ZNW 60 (1969), 279–281.

Haering, Theodor: Gedankengang und Grundgedanken des Hebräerbriefs. ZNW 18 (1917/18), 145–164.

Hagen, Kenneth: A Theology of Testament in the Young Luther. The Lectures on Hebrews (Studies in Medieval and Reformation Thought 12), Leiden 1974.

–: Hebrews Commenting from Erasmus to Bèze: 1516–1598 (Beitr. z. Gesch. der bibl. Exegese, 23). Tübingen 1981.

Hagner, Donald Alfred: The Use of the Old and New Testaments in Clement of Rome (Suppl. NT 35). Leiden 1973.

–: Interpreting the Epistle to the Hebrews, in: Morris A. Inch (Hrsg.): The Literature and Meaning of Scripture. Grand Rapids 1981, 217–242.

Hahn, Ferdinand: Christologische Hoheitstitel (FRLANT 83). Göttingen 1963. ⁴1974.

Hanson, A. T.: The Reproach of the Messiah in the Epistle to the Hebrews, in: E. A. Livingstone (Hrsg.): Studia Evangelica Vol. VII. Papers Presented to the Fifth International Congress on Biblical Studies held at Oxford, 1973 (Texte u. Unters. Bd. 126). Berlin 1982, 231–240.

Harnack, A.: Probabilia über die Adresse und den Verfasser des Hebräerbriefs. ZNW 1 (1900), 16–41.

–: Zwei alte dogmatische Korrekturen in Hebr. Sitzungsber. d. Preuss. Akad. d. Wiss. Phil.-hist. Kl. Berlin 1929, 62–73.

Hatch, W. H. P.: The Position of Hebrews in the Canon of the NT. Harv. Theol. Rev. 29 (1936), 133–151.

Hay, D. M.: Glory at the Right Hand: Psalm 110 in Early Christianity (Soc. of Bibl. Lit. Monogr. Ser. 18). Nashville, N. Y. 1973.

Heller, Jan: Stabesanbetung? (Hebr 11, 21–Gen 47, 31). Communio Viatorum 16 (1973), 257–265.

Hengel, Martin: Judentum und Hellenismus. Studien zu ihrer Begegnung unter besonderer Berücksichtigung Palästinas bis zur Mitte des 2. Jh. v. Chr. Tübingen ²1973.

–: Zwischen Jesus und Paulus. ZThK 72 (1975), 131–206.

Hession, Roy: Vom Schatten zur Wirklichkeit. Marburg 1978.

Hickling, C. J. A.: John and Hebrews: The Background of Hebrews 2, 10–18. NTS 29 (1983), 112–115.

Hicks, F. C. N.: The Fullness of Sacrifice. London 1938.

Higgins, A. J. B.: The Priestly Messiah. NTS 13 (1966/67), 211–239.

Hofius, Otfried: Katapausis. Die Vorstellung vom endzeitlichen Ruheort im Hebräerbrief (WUNT 11). Tübingen 1970.

–: Das „erste" und das „zweite" Zelt. Ein Beitrag zur Auslegung von Hebr 9, 1–10. ZNW 61 (1970), 271–277.

–: Inkarnation und Opfertod Jesu nach Hebr 10, 19f., in: Der Ruf Jesu und die Antwort der Gemeinde. Exeg. Unters. J. Jeremias zum 70. G. Göttingen 1970, 132–141.

–: Στόματα μαχαίρης. Hebr 11, 34. ZNW 62 (1971), 129–130.

–: Der Vorhang vor dem Thron Gottes. Eine exegetisch-religionsgeschichtliche Untersuchung zu Hebräer 6, 19f. und 10, 19f. (WUNT 14). Tübingen 1972.

–: Die Unabänderlichkeit des göttlichen Heilsratschlusses. ZNW 64 (1973), 135–145.

Holtz, Traugott: Einführung in Probleme des Hebräerbriefes. Zeichen der Zeit 23 (1969), 321–327.

Hoppin, Ruth: Priscilla Author of the Epistle to the Hebrews and Other Essays. New York 1969.

Horton, F. L.: The Melchizedek Tradition: A Critical Examination of the Sources to the Fifth Century A. D. and the Epistle to the Hebrews (SNTS Mon. Ser. 30). Cambridge–New York 1976.

Hoskier, H. C.: A Commentary on the Various Readings in the Text of the Epistle to the Hebrews in the Chester Beatty Papyrus P[46]. London 1938.

Howard, George: Hebrews and the Old Testament Quotations. Nov. Test. 10 (1968), 208–216.

Howard, W. F.: The Epistle to the Hebrews. Interpretation 5 (1951), 80–91.

Hughes, Graham: Hebrews and Hermeneutics. The Epistle to the Hebrews as a New Testament Example of Biblical Interpretation. Cambridge 1979.

Hughes, J. J.: Hebrews IX 15 ff. and Galatians III 15 ff. A Study in Covenant Practice and Procedure. Nov. Test. 21 (1979), 27–96.

Hughes, Philip Edgcumbe: The Doctrine of Creation in Hebr. 11, 3. Bibl. Theol. Bull. 2 (1972), 64–77.

–: Hebr 6, 4–6 and the Peril of Apostasy. Westminster Theol. Journ. 35 (1973), 137–155.

–: The Blood of Jesus and His Heavenly Priesthood in Hebrews. Bibliotheca Sacra 130 (1973), 99–109; 195–212; 305–314; 131 (1974), 26–33.

Immer, K.: Jesus Christus und die Versuchten. Ein Beitrag zur Christologie des Hebräerbriefes. Diss. Halle 1943.

Jellicoe, S.: The Septuagint and Modern Study. Oxford 1968.

Jeremias, Joachim: Hbr 5, 7–10. ZNW 44 (1952/53), 107–111.

–: Art. πύλη, πυλών. ThWBNT 6 (1959), 920–927.

–: Hebr. 10, 20: τοῦτ᾽ ἔστιν τῆς σαρκὸς αὐτοῦ. ZNW 62 (1971), 131.

Johnston, George: Christ as Archegos. NTS 27 (1981), 381–385.

Jonas, Hans: Gnosis und spätantiker Geist. I (FRLANT 51). Göttingen ²1954. II/1 (FRLANT 63). Göttingen 1954. Ergänzungsheft. Göttingen 1964.

De Jonge, H. J.: Traditie en exegese: de hogepriester-christologie en Melchizedek in Hebreeën. Nederl. Theol. Tijdschr. 37 (1983), 1–19.

De Jonge, M./van der Woude, A. S.: 11 Q Melchizedek and the New Testament. NTS 12 (1965/66), 301–326.

Käsemann, Ernst: Das wandernde Gottesvolk. Eine Untersuchung zum Hebräerbrief (FRLANT NF 37). Göttingen 1939. ²1957. ³1959. ⁴1961.

–: Rez.: Michel, Otto: Der Brief an die Hebräer, Göttingen ⁸1949. ThLZ 75 (1950), 427–429.

Katz, Peter: The Quotations from Deuteronomy in Hebrews. ZNW 49 (1958), 213–223.

Kilpatrick, G. D.: Διαθήκη in Hebrews. ZNW 68 (1977), 263–265.

Kistemaker, Simon: The Psalm Citations in the Epistle to the Hebrews. Amsterdam 1961.

Klappert, Berthold: Die Eschatologie des Hebräerbriefs (Th. Ex. 156). München 1969.

Knoch, Otto: Eigenart und Bedeutung der Eschatologie im theologischen Aufriß des Ersten Clemensbriefes. Bonn 1964.

Kögel, Julius: Der Sohn und die Söhne (Beitr. zur Förd. christl. Theol. 8, Heft 5–6). Gütersloh 1904.

Köster, Helmut: Die Auslegung der Abraham-Verheißung in Hebr. 6, in: R. Rendtorff/H. Koch (Hrsg.): Studien zur Theologie der alttestamentlichen Überlieferungen. FS. G. von Rad z. 60. G. Neukirchen 1961, 95–109.

–: "Outside the Camp": Hebrews 13, 9–14. Harv. Theol. Rev. 55 (1962), 299–315.

–: Art. ὑπόστασις. ThWBNT 8 (1969), 571–588.

Köster, Helmut: Einführung in das Neue Testament im Rahmen der Religionsgeschichte der hellenistischen und römischen Zeit. Berlin–New York 1980.

Kosmala, H.: Hebräer–Essener-Christen (Studia Post-Biblica 1). Leiden 1959.

Kümmel, Werner Georg: Einleitung in das Neue Testament. Heidelberg [18]1976.

Kuhn, K. G.: Jesus in Gethsemane. Ev. Th. 12 (1952/53), 260–285.

Kuss, Otto: Über einige neuere Beiträge zur Exegese des Hebräerbriefes. Theol. u. Gl. 42 (1952), 186–204.

–: Der theologische Grundgedanke des Hebräerbriefs. Zur Deutung des Todes Jesu im Neuen Testament. MThZ 7 (1956), 233–271.

–: Zur Deutung des Hebräerbriefes. ThRev 53 (1957), 247–254.

LaSor, William Sanford: The Dead Sea Scrolls and the New Testament. Grand Rapids 1972.

Laub, Franz: Bekenntnis und Auslegung. Die paränetische Funktion der Christologie im Hebräerbrief (Bibl. Unters. 15). Regensburg 1980.

Laurin, Robert B.: The Problem of Two Messiahs in the Qumran Scrolls. RQ 4 (1963), 39–52.

Leaney, A. R. C.: The Akedah, Paul and the Atonement, or: Is a Doctrine of the Atonement Possible? in: E. A. Livingstone (Hrsg.): Studia Evangelica Vol. VII. Papers Presented to the Fifth International Congress on Biblical Studies held at Oxford, 1973 (Texte u. Unters. Bd. 126). Berlin 1982, 307–315.

Lécuyer, Joseph: Ecclesia Primitivorum (Hébr. 12, 23), in: Studiorum Paulinorum Congressus Internationalis Catholicus 1961 (Anal. Bibl. 17–18). Rom 1963, II, 161–168.

Le Déaut, R.: Le titre de Summus Sacerdos donné à Melchisédech est-il d'origine juive? Rech. Sc. Rel. 50 (1962), 222–229.

Légasse, S.: Les voiles du temple de Jérusalem. Essai de parcours historique. Rev. Bibl. 87 (1980), 560–589.

Legg, J. D.: Our Brother Timothy. A Suggested Solution to the Problem of the Authorship. Ev. Quart. 40 (1968), 220–223.

Le Roy Maxwell, K.: Doctrine and Parenesis in the Epistle to the Hebrews, with Special Reference to Pre-Christian Gnosticism. Diss. Yale University 1953.

Lescow, Th.: Jesus in Gethsemane bei Lukas und im Hebräerbrief. ZNW 58 (1967), 215–239.

Lindemann, Andreas: Paulus im ältesten Christentum. Das Bild des Apostels und die Rezeption der paulinischen Theologie in der frühchristlichen Literatur bis Marcion (Beitr. z. Hist. Theol. 58). Tübingen 1979.

Linss, Wilhelm C.: Logical Terminology in the Epistle to the Hebrews. Concordia Theol. Monthly 37 (1966), 365–369.

Linton, Olof: Hebréerbrevet och „den historiske Jesus". En studie till Hebr 5, 7. Sv. T. K. 26 (1950), 335–345.

Loader, William R. G.: Sohn und Hoherpriester. Eine traditionsgeschichtliche Untersuchung zur Christologie des Hebräerbriefes (WMANT 53). Neukirchen 1981.

Lo Bue, F.: The Historical Background of the Epistle to the Hebrews. JBL 75 (1956), 52–57.

Lohse, Eduard (Hrsg.): Die Texte aus Qumran. Hebräisch und Deutsch. Mit masoretischer Punktation, Übersetzung, Einführung und Anmerkungen. Darmstadt 1971.

–: Die Entstehung des Neuen Testaments. Stuttgart ³1979.

Lombard, H. A.: Katapausis in the Epistle to the Hebrews. Neotest. 5 (1971), 60–71.

Luck, Ulrich: Himmlisches und Irdisches im Hebräerbrief. Ein Beitrag zum Problem des „historischen Jesus" im Urchristentum. Nov. Test. 6 (1963), 192–215.

Lueken, W.: Michael. Eine Darstellung und Vergleichung der jüdischen und der morgenländisch-christlichen Tradition vom Erzengel Michael. Göttingen 1898.

Lührmann, Dieter: Glaube im frühen Christentum. Gütersloh 1976.

Luz, Ulrich: Der alte und der neue Bund bei Paulus und im Hebräerbrief. Ev. Theol. 27 (1967), 318–336.

Lyonnet, Stanislas: De arte literas exarandi apud antiquos. Verb. Dom. 34 (1956), 3–11.

McCullough, J. C.: Hebrews and the Old Testament. Diss. Queen's University, Belfast 1971.

–: The Old Testament Quotations in Hebrews. NTS 26 (1979/80), 363–379.

McNicol, Allen James: The Relationship of the Image of the Highest Angel to the High Priest Concept in Hebrews. Diss. Phil. Nashville, Tennessee 1974.

Maier, Johann (Hrsg.): Die Texte vom Toten Meer. 2 Bde. München–Basel 1960.

Maier, Johann/Schubert, Kurt: Die Qumran-Essener. Texte der Schriftrollen und Lebensbild der Gemeinde (UTB 224). München 1973.

Manson, T. W.: The Problem of the Epistle to the Hebrews. Bull. of the J. Rylands Library 32 (1949), 1–17, und in: Matthew Black (Hrsg.): Studies in the Gospels and Epistles. Philadelphia 1962, 242 ff.

Manson, William: The Epistle to the Hebrews. An Historical and Theological Reconsideration. London ²1953.

Mansoor, M.: The Thanksgiving Hymns. Studies on the Texts of the Desert of Judah. Bd. III. Leiden 1961.

Marshall, J. L.: Melchizedek in Hebrews, Philo and Justin Martyr, in: E. A. Livingstone (Hrsg.): Studia Evangelica Vol. VII. Papers Presented to the Fifth International Congress on Biblical Studies held at Oxford, 1973 (Texte u. Unters. Bd. 126). Berlin 1982, 339–342.

Marxsen, Willi: Einleitung in das Neue Testament. Einführung in ihre Probleme. Gütersloh ⁴1978.

Maurer, Christian: „Erhört wegen der Gottesfurcht", Hebr 5, 7, in: H. Baltensweiler/B. Reicke (Hrsg.): Neues Testament und Geschichte. O. Cullmann zum 70. G. Zürich–Tübingen 1972, 275–284.

Measson, A.: Philon. De Sacrificiis Abel et Caini. Paris 1966.

Del Medico, H. E.: Melchisédech. ZAW 69 (1957), 160–170.

Mees, Michael: Die Hohepriester-Theologie des Hebräerbriefes im Vergleich mit dem Ersten Clemensbrief. BZ NF 22 (1978), 115–124.

Ménégoz, E.: La Théologie de l'Epître aux Hébreux. Paris 1894.

Michaelis, W.: Art. σκηνή κτλ. ThWBNT 7 (1964), 369–396.

Michel, Otto: Art. Μελχισέδεκ. ThWBNT 4 (1942), 573–575.

–: Zur Auslegung des Hebräerbriefes. Nov. Test. 6 (1963), 189–191.

Miller, M. P.: The Function of Isa 61: 1–2 in 11 Q Melchizedek. JBL 88 (1969), 467–469.

–: Targum, Midrash and the Use of the Old Testament in the New Testament. Journal for the Study of Judaism 2 (1971), 29–82.

Minear, Paul S.: An Early Christian Theopoetic. Semeia 12 (1978), 201–214.

Moe, Olaf: Das Priestertum Christi im NT außerhalb des Hebräerbriefs. ThLZ 72 (1947), 335–338.

–: Das Abendmahl im Hebräerbrief. Stud. Theol. 4 (1951), 102–108.

–: Das irdische und das himmlische Heiligtum. ThZ 9 (1953), 23–29.

Moffatt, James: An Introduction to the Literature of the New Testament. Edinburgh ³1918.

Mora, Gaspar: La carta a los Hebreos como escrito pastoral. Barcelona 1974.

–: Ley y sacrificio en la carta a los Hebreos. Rev. Catalana de Teol. 1 (1976), 1–50.

Moule, C. F. D.: Sanctuary and Sacrifice in the Church of the New Testament. JTS NS 1 (1950), 29–41.

–: The Birth of the New Testament (Black's New Testament Commentaries). London 1962.

Müller, Paul Gerhard: ΧΡΙΣΤΟΣ ΑΡΧΗΓΟΣ. Der religionsgeschichtliche und theologische Hintergrund einer neutestamentlichen Christusprädikation (Europ. Hochschulschriften XXIII. 28). Bern–Frankfurt 1973.

–: Destruktion des Kanons – Verlust der Mitte. Ein kritisches Gespräch mit Siegfried Schulz. ThRev 73 (1977), 177–186.

Mulder, H.: De eerste lezers van de brief aan de Hebreeën. Homil. en Bibl. 25 (1965), 95–99.

Murray, R.: Jews, Hebrews and Christians: Some Needed Distinctions. Nov. Test. 24 (1982), 194–208.

Mussner, Franz: Zur theologischen Grundlage des Hebräerbriefs. TThZ 65 (1956), 55–57.

Nag Hammadi Codices IX and X, ed. Birger A. Pearson (Nag Hammadi Studies 15). Leiden 1981. IX, 1: Melchizedek.

Nakagawa, H.: Christology in the Epistle to the Hebrews. Diss. Yale University 1955.

Nash, R. H.: The Notion of Mediator in Alexandrian Judaism and the Epistle to the Hebrews. Westminster Theol. Journ. 40 (1977), 89–115.

Nauck, W.: Zum Aufbau des Hebräerbriefes, in: Judentum, Urchristentum, Kirche. FS. f. J. Jeremias (BZNW 26). Berlin ²1964, 199–206.

Nellessen, Ernst: Lateinische Summarien zum Hebräerbrief. BZ 14 (1970), 240–251.

Neudecker, Reinhard: Die alttestamentliche Heilsgeschichte in lehrhaftparänetischer Darstellung. Eine Studie zu Sap 10 und Hebr 11. Diss. Innsbruck 1970–71.

Nomoto, Shinya: Herkunft und Struktur der Hohenpriestervorstellung im Hebräerbrief. Nov. Test. 10 (1968), 10–25.

Oepke, A.: Das neue Gottesvolk in Schrifttum, Schauspiel, bildender Kunst und Weltgestaltung. Gütersloh 1950.

Omark, R. E.: The Saving of the Saviour. Exegesis and Christology in Hebrews 5, 7–10. Interpretation 12 (1958), 39–51.

O'Neill, J. C.: Hebrews 2, 9. JThS 17 (1966), 79–82.

Von der Osten-Sacken, P.: Gott und Belial. Göttingen 1969.

Pagels, Elaine Hiesey: The Gnostic Paul. Gnostic Exegesis of the Pauline Letters. Philadelphia 1975.

Parvis, P. M.: The Commentary on Hebrews and the Contra Theodorum of Cyril of Alexandria. Journ. Theol. Stud. 26 (1975), 415–419.

Pascher, J.: ῾Η βασιλικὴ ὁδός. Der Königsweg zur Wiedergeburt und Vergottung bei Philo von Alexandrien (Studien z. Gesch. u. Kultur des Altertums, Bd. 3.4). Paderborn 1931.

Pearson, B.: The Figure of Melchizedek in the First Tractate of the Unpublished Coptic-Gnostic Codex IX from Nag Hammadi, in: C. J. Bleeker u. a. (Hrsg.): Proceedings of the XIIth International Congress of the International Association for the History of Religions. Leiden 1975, 200–208.

–: s. auch: Nag Hammadi.

Perry, Michael: Method and Model in the Epistle to the Hebrews. Theology 77 (1974), 66–74.

Peterson, David: Hebrews and Perfection. An Examination of the Concept of Perfection in the "Epistle to the Hebrews". Cambridge 1982.

Philips, John: Exploring Hebrews. Chicago 1977.

Van der Ploeg, J.: L'Exégèse de l'Ancien Testament dans l'Epître aux Hébreux. RB 54 (1947), 187–228.

Powell, D. L.: Christ as High Priest in the Epistle to the Hebrews, in: E. A. Livingstone (Hrsg.): Studia Evangelica Vol. VII. Papers Presented to the Fifth International Congress on Biblical Studies held at Oxford, 1973 (Texte u. Unters. Bd. 126). Berlin 1982, 387–399.

Pretorius, E. A. C.: Diatheke in the Epistle to the Hebrews. Neotest. 5 (1971), 22–36.

Proulx, P./Schökel, L. A.: Hebr 6, 4–6: εἰς μετάνοιαν ἀνασταυροῦντας Bibl 56 (1975), 193–209.

Rabin, Chaim: The Translation Process and the Character of the Septuagint. Textus 6 (1968), 1–27.

Rasco, E.: La oración sacerdotal de Cristo en la tierra segun Hebr 5, 7. Greg 43 (1962), 723–755.

Renner, Frumentius: „An die Hebräer" – ein pseudepigraphischer Brief (Münsterschwarzacher Studien, 14). Münsterschwarzach 1970.

Richardson, W.: The Philonic Patriarchs as Νόμος ἔμψυχος, in: Studia Patristica, Berlin 1957, 515–526.

Riggenbach, E.: Die ältesten lateinischen Kommentare zum Hebräerbrief. Ein Beitrag zur Geschichte der Exegese und zur Literaturgeschichte des Mittelalters (Forschungen z. Gesch. d. neutest. Kanons u. d. altkirchl. Lit. 8/1). Leipzig 1907. Göttingen ²1938 (FRLANT 55, NF 37). ³1959.

Rissi, M.: Die Menschlichkeit Jesu nach Hebr 5, 7–8. ThZ 11 (1955), 28–45.

Robinson, John A. T.: Redating the New Testament. London 1976.

Roeth, E. M.: Epistolam vulgo ad Hebraeos inscriptam non ad Hebraeos, id est genere Judaeos, sed ad Christianos genere gentiles datam esse demonstrare conatur. Frankfurt 1836.

Roloff, Jürgen: Der mitleidende Hohepriester. Zur Frage nach der Bedeutung des irdischen Jesus für die Christologie des Hebräerbriefes, in: G. Strecker (Hrsg.): Jesus Christus in Historie und Theologie. Neutestamentl. FS. f. H. Conzelmann zum 60. G. Tübingen 1975, 143–166.

Rudolph, Kurt (Hrsg.): Gnosis und Gnostizismus (WdF 262). Darmstadt 1975.

–: Die Gnosis. Wesen und Geschichte einer spätantiken Religion. Leipzig 1977. ²1980.

Rusche, Helga: Die Gestalt des Melchisedek. MThZ 6 (1955), 230–252.

–: Glauben und Leben nach dem Hebräerbrief. Bibel und Leben 12 (1971), 94–104.

Sabourin, Leopold: Sacrificium et liturgia in Epistola ad Hebraeos. Verbum Dom. 46 (1968), 235–258.

–: «Liturgie du Sanctuaire et de la Tente Véritable» (Hébr 8, 2). NTS 18 (1971), 87–90.

Salom, A. P.: Ta Hagia in the Epistle to the Hebrews. Andrews University Seminary Studies 5 (1967).

Schaefer, J. R.: The Relationship between Priestly and Servant Messianism in the Epistle to the Hebrews. CBQ 30 (1968), 359–385.

Schäfer, K. Th.: ΚΡΑΤΕΙΝ ΤΗΣ ΟΜΟΛΟΓΙΑΣ (Hebr 4, 14), in: F. Groner (Hrsg.): Die Kirche im Wandel der Zeit. FS. Jos. Kard. Höffner. Köln 1971, 59–70.

Schelkle, Karl Hermann: Das Neue Testament. Seine literarische und theologische Geschichte. Kevelaer ⁴1970.

–: Theologie des Neuen Testaments. IV, 2: Jüngergemeinde und Kirche. Düsseldorf 1976.

–: Paulus. Leben – Briefe – Theologie (EdF 152). Darmstadt 1981.

Schenk, Wolfgang: Hebräerbrief 4, 14–16. Textlinguistik als Kommentierungsprinzip. NTS 26 (1979/80), 242–252.

Schenke, H.-M.: Erwägungen zum Rätsel des Hebräerbriefes, in: H.-D. Betz/L. Schottroff (Hrsg.): Neues Testament und christliche Existenz. FS. für Herbert Braun z. 70. G. Tübingen 1973, 421–437.

–: Das sethianische System nach Nag-Hammadi-Handschriften, in: P. Nagel (Hrsg.): Studia Coptica. Berlin 1974, 165–172.

–: Die jüdische Melchizedek-Gestalt als Thema der Gnosis, in: K. W. Tröger (Hrsg.): Altes Testament – Frühjudentum – Gnosis. Gütersloh 1980, 111–136.

–: The Phenomenon and Significance of Gnostic Sethianism, in: B. Layton (Hrsg.): The Rediscovery of Gnosticism. 2 Bde. Leiden 1981. II, 588–616.

Schenke, Hans-Martin/Fischer, Karl Martin: Einleitung in die Schriften des Neuen Testaments. II. Die Evangelien und die anderen neutestamentlichen Schriften. Gütersloh 1979.

Schierse, F. J.: Verheißung und Heilsvollendung. Zur theologischen Grundfrage des Hebräerbriefes (MThS I, 9). München 1955.

–: Art. Hebräerbrief. LThK² 5 (1960), 45–49.

Schille, Gottfried: Erwägungen zur Hohenpriesterlehre des Hebräerbriefes – ZNW 46 (1955), 81–109.

–: Die Basis des Hebräerbriefes. ZNW 48 (1957), 270–280.

–: Katechese und Taufliturgie. Erwägungen zu Hebr 11. ZNW 51 (1960), 112–131.

Schmitt, J.: Sacerdoce judaïque et hiérarchie ecclésiale dans les premières communautés palestiniennes. Rev. S. R. 29 (1955), 250–261.

–: Les écrits du Nouveau Testament et le texte de Qumran. Bilan de cinq années de recherche. Rev. S. R. 29 (1955), 381–401.

–: Contribution à l'étude de la discipline pénitentielle dans l'église primitive à la lumière des textes de Qumran, in: Les manuscrits de la Mer Morte. Colloque de Strasbourg. Paris 1957, 93–109.

Schneider, J.: Art. Hebräerbrief. RGG³ 3, 106–108 (Literatur zur Auslegungsgeschichte: W. Werbeck: ebd. 108f.).

Schröger, Friedrich: Der Verfasser des Hebräerbriefes als Schriftausleger (Bibl. Unters. Bd. 4). Regensburg 1968.

–: Der Gottesdienst der Hebräerbriefgemeinde. MThZ 19 (1968), 161–181.

–: Das hermeneutische Instrumentarium des Hebräerbriefes. Theol. u. Gl. 60 (1970), 344–359, und: J. Ernst (Hrsg.): Schriftauslegung. Beiträge zur Hermeneutik des NT und im NT. Paderborn 1972, 313–329.

Schubert, K.: Die Gemeinde vom Toten Meer. München–Basel 1958.

Schumpp, M.: Der Glaubensbegriff des Hebr. und seine Deutung durch den hl. Thomas. Divus Thomas 11 (1933), 397–410.

Schulz, Siegfried: Die Mitte der Schrift. Der Frühkatholizismus im Neuen Testament als Herausforderung an den Protestantismus. Stuttgart–Berlin 1976.

Selwyn, E. G.: The First Epistle of Peter. London 1947. ²1955.

Slot, W.: De letterkundige vorm van den brief an de Hebreeën. Groningen 1912.

Smith, Jerome: Priest for Ever. A Study of Typology and Eschatology in Hebrews. London 1969.

Solari, James K.: The Problem of Metanoia in the Epistle to the Hebrews. Diss. The Catholic University of America. Washington, D. C. 1970.

Souter, Alexander: The Earliest Latin Commentaries of the Epistles of St. Paul. Oxford 1927.

Sowers, S. G.: The Hermeneutics of Philo and Hebrews. Zürich 1965.

Sparks, H. F. D.: The Order of the Epistles in P46. Journ. Theol. Stud. 42 (1941), 180–181.

Spicq, Ceslas: L'authenticité du chapître XIII de l'Epître aux Hébreux. Coniect. Neotest. 11 (1947), 226–236.

–: L'exégèse de Hébr. XI, 1 par S. Thomas d'Aquin. Rev. Sc. Phil. Théol. 31 (1947), 229–236.

–: La théologie des deux alliances dans l'Epître aux Hébreux. Rev. Sc. Phil. Théol. 33 (1949), 15–30.

–: L'origine johannique de la conception du Christ-prêtre dans l'Epître aux Hébreux, in: Mélanges offerts à M. Goguel. Neuchâtel 1950, 258–269.

–: Le Philonisme de l'Epître aux Hébreux. RB 56 (1949), 542–572; 57 (1950), 212–242.

–: Alexandrinismes dans l'Epître aux Hébreux. RB 58 (1951), 481–502.

–: Ankura et pródromos dans Hebr. 6, 19–20. St. Th. 3 (1951), 185–187.

–: Contemplation, théologie et vie morale d'après l'Epître aux Hébreux. RSR 39 (1951), 289–300 = Mélanges J. Lebreton I, Paris 1951, 289–300.

–: L'Epître aux Hébreux, Apollos, Jean Baptiste, les Hellénistes et Qumran. RQ 1 (1958/59), 365–390.

–: Art. Paul. 5. Hébreux (Epître aux), in: Dict. Bibl., Suppl. VII (1966), 226–279.

–: Notes de Lexicographie Néo-Testamentaire. 2 Bde. Göttingen 1978.

Stadelmann, Andreas: Zur Christologie des Hebräerbriefes in der neueren Diskussion. Theologische Berichte 2 (1973), 135–221.

Stauffer, E.: Probleme der Priestertradition. ThLZ 81 (1956), 135–150.

Stewart, Roy A.: Creation and Matter in the Epistle to the Hebrews. NTS 12 (1965/66), 284–293.

Stork, J.: Die sogenannten Melchisedekianer. Leipzig 1928.

Stott, Wilfred: The Conception of "Offering" in the Epistle to the Hebrews. NTS 9 (1962/63), 62–67.

Strobel, A.: Die Psalmengrundlage der Gethsemane-Parallele Hebr 5, 7ff. ZNW 45 (1954), 252–266.

Stylianopulos, Theodore G.: Shadow and Reality: Reflections on Hebrews 10, 1–18. Greek Orth. Theol. Rev. 17 (1972), 215–230.

Suarez, Pablo Luis: Cesarea lugar de la composicion de la Epistola a los Hebreos? Cultura Biblica 13 (1956), 226–231.

–: Cesarea y la Epistola "Ad Hebreos", in: Studiorum Paulinorum Congressus Internationalis Catholicus 1961 (Anal. Bibl. 17–18). Rom 1963, II, 169–174.

Swetnam, James: A Suggested Interpretation of Hebrews 9, 15–18. CBQ 27 (1965), 173–190.

–: "The Greater and More Perfect Tent". A Contribution to the Discussion of Hebrews 9, 11. Bibl. 47 (1966), 91–106.

–: Diathēkē in the Septuaginta Account of Sinai: A Suggestion. Bibl. 47 (1966), 438–444.

–: On the Imagery and Significance of Hebrews 9, 9–10. CBQ 28 (1966), 155–173.

–: Sacrifice and Revelation in the Epistle to the Hebrews. Observations and Surmises on Hebrews 9, 26. CBQ 30 (1968), 227–234.

–: On the Literary Genre of the "Epistle" to the Hebrews. Nov. Test. 11 (1969), 261–269.

–: Hebrews 9, 2 and the Uses of Consistency. CBQ 32 (1970), 205–221.

–: Form and Content in Hebrews 1–6. Bibl 53 (1972), 368–385.

–: Form and Content in Hebrews 7–13. Bibl 55 (1974), 333–348.

Synge, F. C.: Hebrews and the Scriptures. London 1959.

Tasker, R. V. G.: The Integrity of the Epistle to the Hebrews. Exp. Times 47 (1935/36), 136–138.

Theissen, Gerd: Untersuchungen zum Hebräerbrief (Studien z. NT 2). Gütersloh 1969.

Thomas, Kenneth J.: The Old Testament Citations in Hebrews. NTS 11 (1965), 303–325.

Thompson, James W.: The Underlying Unity of Hebrews. Restoration Quart. 18 (1975), 129–136.

–: "That Which Cannot be Shaken": Some Metaphysical Assumptions in Heb. 12, 27. Journ. Bibl. Lit. 94 (1975), 580–587.

–: The Structure and Purpose of the Catena in Hebr. 1, 5–13. CBQ 38 (1976), 352–363.

–: The Conceptual Background and Purpose of the Midrash in Hebrews 7. Nov. Test. 19 (1977), 209–223.

The Beginnings of Christian Philosophy: the Epistle to the Hebrews (CBQ Monograph Series, 13). Washington 1982.

Thornton, T. C. G.: The Meaning of αἱματεκχυσία in Heb. X. 22. JTS 15 (1964), 63–65.

Thurén, Jukka: Gebet und Gehorsam des Erniedrigten (zu Hebr 5, 7–10). Nov. Test. 13 (1971), 136–146.

–: Das Lobopfer der Hebräer. Studien zum Aufbau und Anliegen von Hebräerbrief 13 (Acta Academiae Aboensis, Ser. A, vol. 47, nr. 1). Åbo 1973.

Thyen, H.: Der Stil der jüdisch-hellenistischen Homilie (FRLANT NF 47). Göttingen 1955.

Du Toit Laubscher, F.: God's Angel of Truth and Melchizedek. A Note on 11 Q Melch 13b. Journal for the Study of Judaism 3 (1972), 46–51.

Toussaint, S. D.: The Eschatology of the Warning Passages in the Book of Hebrews. Grace Theol. Journ. 3 (1982), 67–80.

Trilling, Wolfgang: „Jesus der Urheber und Vollender des Glaubens" (Hebr. 12, 2). Exegetische Thesen, in: Knoch/Messerschmitt/Zenner (Hrsg.): Das Evangelium auf dem Weg zum Menschen. FS. H. Kahlefeld. Frankfurt 1973, 3–23.

Trompf, G. W.: The Conception of God in Hebrews 4, 12–13. Stud. Theol. 25 (1971), 123–132.

Trudinger, L. Paul: ΚΑΙ ΓΑΡ ΔΙΑ ΒΡΑΧΕΩΝ ΕΠΕΣΤΕΙΛΑ ΥΜΙΝ: A Note on Hebrews 13, 22. Journ. Theol. Stud. 23 (1972), 128–130.

Ungeheuer, Joseph: Der Große Priester über dem Hause Gottes. Die Christologie des Hebräerbriefes. Würzburg 1939.

Vaganay, L.: Le plan de l'Epître aux Hébreux, in: Mémorial Lagrange. Paris 1940, 269–277.

Vanhoye, Albert: De „aspectu" oblationis Christi secundum Epistulam ad Hebraeos. VD 37 (1959), 32–38.

–: La structure centrale de l'Epître aux Hébreux. Rech. S. R. 47 (1959), 44–60.

–: Structure littéraire et thèmes théologiques de l'Epître aux Hébreux, in: Studiorum Paulinorum Congressus Internationalis Catholicus 1961 (Anal. Bibl. 17–18). Rom 1963, II, 153–160.

–: La structure littéraire de l'Epître aux Hébreux. Paris 1963. 2me éd. revue et augmentée Paris 1976.

–: L'oikoumenē dans l'Epître aux Hébreux. Bibl. 45 (1964), 248–253.

–: « Par la tente plus grande et plus parfaite . . .» (Hé 9, 11). Bibl. 46 (1965), 1–28.

–: Christologia a qua initium sumit Epistola ad Hebraeos (Hebr 1, 2b. 3. 4). Verbum Dom. 43 (1965), 3–14; 49–61; 113–123.

–: De sessione caelesti in epistola ad Hebraeos. Verbum Dom. 44 (1966), 131–134.

–: Jesus „fidelis ei qui fecit eum" (Hebr 3, 2). Verbum Dom. 45 (1967), 291–305.

–: Longue marche ou accès tout proche? Le contexte biblique de Héb 3, 7–4, 11. Bibl. 49 (1968), 1–28.

–: Le Christ, grand-prêtre selon Hébr. 2, 17–18. Nouv. Rev. Théol. 91 (1969), 449–474.

–: De sacerdotio Christi in Hebr. Positio problematis. Verbum Dom. 47 (1969), 22–30.

–: Thema sacerdotii praeparatur in Hebr 1, 1–2, 18. Verbum Dom. 47 (1969), 284–297.

–: Trois ouvrages récents sur l'Epître aux Hébreux. Bibl. 52 (1971), 62–71.

–: Destinée des hommes et chemin du Christ He 2, 9–11. Assemblée du Seigneur 58 (1974).

–: Discussions sur la structure de l'Epître aux Hébreux. Bibl. 55 (1974), 349–380.

–: Le Dieu dans la nouvelle alliance dans l'Epître aux Hébreux, in: Jean Giblet (Hrsg.): La révélation de Dieu dans le Nouveau Testament. Position du Problème. Gembloux 1976, 315–330.

–: Situation et signification de Hébreux V. 1–10. NTS 23 (1976/77), 445–456.

–: Our Priest is Christ. The Doctrine of the Epistle to the Hebrews. Rom 1977.

–: La question littéraire de Hébreux 13, 1–6. NTS 23 (1977), 121–139.

–: L'Epître aux Ephésiens et l'Epître aux Hébreux. Bibl. 59 (1978), 198–230.

–: Prêtres anciens – Prêtre nouveau selon le Nouveau Testament. Paris 1980.

De Vaux, R.: Les Institutions de l'Ancien Testament. Paris 1960.

Verbrugge, Verlyn D.: Towards a New Interpretation of Hebrews 6: 4–6. Calvin Theol. Journ. 15 (1980), 61–73.

Vielhauer, Philipp: Rez.: O. Michel: Der Brief an die Hebräer, [8]1949. VF 1951/52, 213–219.

–: ΑΝΑΠΑΥΣΙΣ. Zum gnostischen Hintergrund des Thomasevangeliums, in: Apophoreta. FS. f. E. Haenchen (BZNW 30). Berlin 1964, 281–299, und: Ph. Vielhauer: Aufsätze zum Neuen Testament (ThB 31). München 1965, 215–234.

–: Einleitung in das Neue Testament. Forschungsbericht. ThR 31 (1965/66), 97–155; 193–231.

–: Geschichte der urchristlichen Literatur. Berlin–New York 1975.

Vögtle, Anton: Das NT und die Zukunft des Kosmos. Hebr 12, 26f. und das Endschicksal des Kosmos. Bibel und Leben 10 (1969), 239–254.

Vorster, W. S.: The Meanings of parresia in the Epistle to the Hebrews. Neotest. 5 (1971), 51–59.

Vos, G.: The Teaching of the Epistle to the Hebrews. Michigan 1956.

Vosté, J.-M.: Beatus Petrus de Tarentasia in Epistulam ad Hebraeos. Divus Thomas (Piacenza) 46 (1943), 3–28.

De Vuyst, Jacobus: "Oud en Nieuw Verbond" in de Brief aan de Hebreeën. Kampen 1964.

Van der Waal, C.: "The People of God" in the Epistle to the Hebrews. Neotest. 5 (1971), 83–92.

De Waard, J.: A Comparative Study of the Old Testament Text in the Dead Sea Scrolls and in the New Testament. Leiden 1965.

Watson, J. K.: L'Epître aux Hébreux. Cahiers du Cercle E. Renan 12 (1965), 1–20.

–: L'Epître aux Hébreux et l'historicité. Cahiers du Cercle E. Renan 20 (1972), 1–13.

Weiss, Bernhard: Der Hebräerbrief in zeitgeschichtlicher Beleuchtung. Leipzig 1910.

Welch, A.: The Authorship of the Epistle to the Hebrews. Edinburgh 1898.

Werbeck, W.: s. Schneider, J.

Wikenhauser, A./Schmid, J.: Einleitung in das Neue Testament. Freiburg–Basel–Wien ⁶1973.

Wikgren, A.: Patterns of Perfection in the Epistle to the Hebrews. NTS 6 (1960), 159–167.

Williams, Arthur Hayes: An Early Christology. A Systematic and Exegetical Investigation of the Tradition Contained in Hebrews, and of the Implications Contained in their Later Neglect. Diss. Mainz 1971.

Williamson, Ronald: The Preacher and the Epistle to the Hebrews. The Preacher's Quarterly 8 (1962), 326–333.

–: Platonism and Hebrews. Scott. Journ. Theol. 16 (1963), 415–424.

–: Philo and the Epistle to the Hebrews (Arbeiten zur Literatur und Geschichte des hellenist. Judentums 4). Leiden 1970.

–: Hebrews and Doctrine. Expos. Times 81 (1969/70), 371–376.

–: Hebrews 4, 15 and the Sinlessness of Jesus. Expos. Times 86 (1974), 4–8.

–: The Eucharist and the Epistle to the Hebrews. NTS 21 (1975), 300–312.

Wilson, Robert McLachlan: Gnosis und Neues Testament (Urban-Tb. 118). Stuttgart 1971 (engl. Orig.: Gnosis and the New Testament. Oxford 1968).

Wood, John: A New Testament Pattern for Preachers. Ev. Quart. 47 (1975), 214–218.

Van der Woude, A. S.: Die messianischen Vorstellungen der Gemeinde von Qumran (Studia Semitica Neerlandica 3). Assen 1957.

–: Melchisedek als himmlische Erlösergestalt in den neugefundenen eschatologischen Midraschim aus Qumran Höhle XI. Oudtestamentische Studiën 14 (Leiden 1965), 354–373.

–: s. auch: De Jonge, M.

Wrege, Hans-Theodor: Jesusgeschichte und Jüngergeschick nach Joh 12, 20–33 und Hebr 5, 7–10, in: E. Lohse (Hrsg.): Der Ruf Jesu und die Antwort der Gemeinde. FS. f. J. Jeremias z. 70. G. Göttingen 1970, 259–288.

Wuttke, G.: Melchisedech, der Priesterkönig von Salem. Eine Studie zur Geschichte der Exegese (BZNW 5). Gießen 1927.

Yadin, Yigael: The Dead Sea Scrolls and the Epistle to the Hebrews, in: Scripta Hierosolymitana 4 (1958), 36–55.

–: The Scroll of the War of the Sons of Light against the Sons of Darkness. London 1962.

–: A Note on Melchizedek and Qumran. Israel Exploration Journ. 15 (1965), 152–154.

Young, N. H.: τοῦτ᾽ ἐστιν τῆς σαρκὸς αὐτοῦ (Hebr 10, 20): Apposition, Dependant or Explicative? NTS 20 (1974), 100–104.

–: The Gospel according to Hebrews 9. NTS 27 (1981), 198–210.

Zahn, Theodor: Forschungen zur Geschichte des neutestamentlichen Kanons und der altkirchlichen Literatur. III. Erlangen 1884.

–: Geschichte des neutestamentlichen Kanons. I. Erlangen 1888.

–: Einleitung in das Neue Testament. 2 Bde. Leipzig ²1900. ³1924.

Zimmermann, Heinrich: Die Hohepriester-Christologie des Hebräerbriefes. Paderborn 1964.

–: Das Bekenntnis der Hoffnung. Tradition und Redaktion im Hebräerbrief (Bonner Bibl. Beitr. 47). Köln 1977.

Nachtrag

Text, translation, and exegesis of Hebrews 9, 1535–99: Four papers presented at a seminar held at the Institut d'Histoire de la Réformation (IHR), Geneva, on 14–15 June 1982. The Journal of Medieval and Renaissance Studies 14 (1984).

De Jonge, H. J.: The character of Erasmus' translation of the New Testament as reflected in his translation of Hebrews 9, ebd. 81.

Perrottet, Luc: Chapter 9 of the Epistle to the Hebrews as presented in an unpublished course of lectures by Theodore Beza, ebd. 89.

Fraenkel, Pierre: Matthias Flacius Illyricus and his Gloss on Hebrews 9, ebd. 97.

Backus, Irena: Piscator misconstrued? Some remarks on Robert Rollock's "logical analysis" of Hebrews 9, ebd. 113.

Aus dem weiteren Programm

4610-2 Beyschlag, Karlmann:
Grundriß der Dogmengeschichte. Band 1: Gott und Welt.
1982. XVIII, 284 S., kart.

Der hier vorgelegte „Grundriß" ist erstmals sowohl für protestantische als auch für katholische Leser
bestimmt. Er will nicht nur dem Studierenden bei der Bewältigung eines grundlegenden theologischen Sachgebietes behilflich sein, sondern wendet sich darüber hinaus an Dozierende, ja an den
Theologen schlechthin.

9054-3 Günzler, Claus (Hrsg.):
Ethik und Lebenswirklichkeit. Theologische und philosophische Beiträge zur ethischen Dimension von Gegenwartsproblemen. Festschrift
für Heinz Horst Schrey zum 70. Geburtstag.
1982. VII, 180 S., 1 Frontispiz, Gzl.

Das Buch will wesentliche Probleme des heutigen Lebensverständnisses aus verschiedenen Positionen
der theologischen und philosophischen Ethik verdeutlichen und damit zugleich die Fruchtbarkeit
historischer ethischer Ansätze für die Gegenwartssituation aufzeigen.

8549-3 Gerdes, Hayo:
Sören Kierkegaards 'Einübung im Christentum'. Einführung und Erläuterung.
1982. X, 138 S., kart.

Zusammen mit der „Krankheit zum Tode" ist die „Einübung im Christentum" Kierkegaards theo-
logisches Hauptwerk. Dieser Kommentar möchte dem Leser die Hauptgedanken Kierkegaards nahe-
bringen. Dabei ist nicht so sehr an die Fachspezialisten gedacht als vielmehr an jeden an Kierkegaard
Interessierten.

6030-X Harnisch, Wolfgang (Hrsg.):
Gleichnisse Jesu. Positionen der Auslegung von Adolf Jülicher bis zur
Formgeschichte. (WdF, Bd. 366.)
1982. VIII, 457 S., Gzl.

Der Band bietet einen Abriß neutestamentlicher Gleichnisauslegung von der Jahrhundertwende bis
zur Gegenwart. Bei den zusammengestellten Aufsätzen und Buchauszügen handelt es sich um Beiträge, die sich mit methodologischen Problemen der Exegese befassen, den Gleichnisstoff der synoptischen Tradition also unter prinzipiellen Fragestellungen angehen.

8314-8 Harnisch, Wolfgang (Hrsg.):
**Die neutestamentliche Gleichnisforschung im Horizont von Her-
meneutik und Literaturwissenschaft.** (WdF, Bd. 575.)
1982. IX, 441 S. mit schemat. Darst., Tab., Formeln, Übers. u. Zeichn., Gzl.

Die vorliegende Sammlung thematisiert neue Wege der Gleichnisforschung. Im Vordergrund des Inter-
esses steht einerseits das Bemühen, Prinzipien und Verfahren der modernen Literaturwissenschaft
innerhalb der exegetischen Arbeit an Gleichnistexten des Neuen Testaments zu erproben. Als anderer
Pol erweist sich das Problem der Hermeneutik. Denn inwieweit sich Gott in der Sprache der Welt zur
Erfahrung bringt, ist eine Frage hermeneutischer Besinnung.

WISSENSCHAFTLICHE BUCHGESELLSCHAFT
Hindenburgstr. 40   D-6100 Darmstadt 11

Aus dem weiteren Programm

6026-1   Koch/Schmidt (Hrsg.):
Apokalyptik. (WdF, Bd. 365.)
1982. VII, 500 S., Gzl.

Der Sammelband bietet in der Einleitung von Klaus Koch einen Überblick über Entwicklungen und Schwerpunkte der Apokalyptikforschung der letzten 150 Jahre. Die aufgenommenen Aufsätze sind zum Teil zum ersten Mal dem deutschsprachigen Leser in Übersetzung zugänglich. Sie bieten eine repräsentative Zusammenschau der wichtigsten Forschungsansätze.

8551-5   Maier, Johann:
Jüdische Auseinandersetzung mit dem Christentum in der Antike.
(EdF, Bd. 177.)
1982. XIV, 320 S., kart.

Abgesehen von Texten, die in „Jesus von Nazareth in der talmudischen Überlieferung" (Nr. 4901-2) erörtert wurden, sind in der theologischen und judaistischen Forschung noch zahlreiche Aussagen in Talmud und Midrasch als Zeugnisse jüdischer Auseinandersetzung mit dem Christentum verstanden worden. Diese Überlieferungen werden hier nach Themenkreisen geordnet mit ihren Deutungen behandelt.

8552-3   Peterson, Erik:
Frühkirche, Judentum und Gnosis. Studien und Untersuchungen. (1959)
Reprogr. Nachdr. 1982. VIII, 372 S., Gzl.

Der Verfasser, als Wissenschaftler auf dem Gebiet der altchristlichen Literatur und allgemeinen Religionsgeschichte bekannt, hat hier aus einer überragenden Kenntnis der Quellen ein vielfältiges Mosaik von Ergebnissen erarbeitet, aus dem das Wesen der geschichtlichen Erscheinung der Frühkirche deutlich wird.

7266-9   Preuß, Horst Dieter:
Deuteronomium. (EdF, Bd. 164.)
1982. VII, 269 S., kart.

Im vorliegenden Band werden sowohl die Arbeiten zu den größeren Teilen und Textgruppen des Deuteronomiums als auch die zu den genannten übergreifenden Fragestellungen dargestellt.

6689-8   Reventlow, Henning, Graf:
Hauptprobleme der alttestamentlichen Theologie im 20. Jahrhundert.
(EdF, Bd. 173.)
1982. VII, 203 S., kart.

Die theologische Bedeutung des Alten Testaments ist in den letzten Jahrzehnten immer stärker in den Blickpunkt getreten und hat der Gebiet der alttestamentlichen Theologie über die engeren Fachgrenzen hinaus Beachtung verschafft. Der Band sichtet die umfangreiche Literatur aus diesem Bereich und zeichnet die Hauptlinien der Forschung nach.

83/I

WISSENSCHAFTLICHE BUCHGESELLSCHAFT
Hindenburgstr. 40   D-6100 Darmstadt 11